科《か》学《がく》探《たん》偵《てい》　謎《なぞ》野《の》真《しん》実《じつ》シリーズ

科学探偵 VS.

恐怖の館

もくじ

この本《ほん》の楽《たの》しみ方《かた》

この本《ほん》のお話《はなし》は、事《じ》件《けん》編《へん》と解《かい》決《けつ》編《へん》に分《わ》かれています。登《とう》場《じょう》人《じん》物《ぶつ》と一《いっ》緒《しょ》にナゾ解《と》きをして、事《じ》件《けん》の真《しん》相《そう》を見《み》つけてください。ヒントはすべて、文《ぶん》章《しょう》と絵《え》の中《なか》にあります。

登《とう》場《じょう》人《じん》物《ぶつ》

宮下健太《みやしたけんた》
成績《せいせき》もスポーツも中《ちゅう》ぐらいの〝ミスター平均点《へいきんてん》〟。超《ちょう》ビビリだが、不思議《ふしぎ》なことが大好《だいす》き。建物《たてもの》で起《お》こる怪奇現象《かいきげんしょう》に次々《つぎつぎ》と遭遇《そうぐう》する——。

出次田《でじた》ルミ
「花森《はなもり》にじいろ図書《としょ》館《かん》」を倉庫《そうこ》にしようとしている。

古田年造《ふるたとしぞう》
人形塚団地《にんぎょうづかだんち》の入居者《にゅうきょしゃ》で、管理人《かんりにん》。

浜田先生《はまだせんせい》
花森小学校《はなもりしょうがっこう》6年生《ねんせい》の学年主任《がくねんしゅにん》で、あだ名《な》は「ハマセン」。

地神花代《ちがみはなよ》
花森町《はなもりちょう》で不動産業《ふどうさんぎょう》を営《いとな》む「地神不動《ちがみふどう》産《さん》」の社長《しゃちょう》。管理《かんり》する物件《ぶっけん》で次々《つぎつぎ》と怪奇現象《かいきげんしょう》が起《お》こり、頭《あたま》を抱《かか》えている。

桜田聖人《さくらだせいと》
地神不動産《ちがみふどうさん》に勤《つと》める熱血新入社員《ねっけつしんにゅうしゃいん》。口癖《くちぐせ》は「〜っす」。真面目《まじめ》だが、時《とき》には暴走《ぼうそう》することも。

紙野文彦《かみのふみひこ》
「花森《はなもり》にじいろ図書館《としょかん》」を復活《ふっかつ》させたいと願《ねが》っている。

安東我宇《あんどうがう》
花森町《はなもりちょう》に数々《かずかず》の名建築《めいけんちく》を残《のこ》した建築家《けんちくか》。すでに亡《な》くなっている。

謎野真実《なぞのしんじつ》
エリート探偵育成学校《たんていいくせいがっこう》・ホームズ学園出身《がくえんしゅっしん》で、天才的《てんさいてき》な頭脳《ずのう》と幅広《はばひろ》い科学知識《かがくちしき》を持《も》つ。「科学《かがく》で解《と》けないナゾはない」が信条《しんじょう》。地神不動産《ちがみふどうさん》の依頼《いらい》を受《う》け、怪奇現象《かいきげんしょう》が起《お》こる建物《たてもの》の調査《ちょうさ》に乗《の》り出《だ》す。

青井美希《あおいみき》
花森小学校《はなもりしょうがっこう》6年生《ねんせい》の新聞部部長《しんぶんぶぶちょう》で、ジャーナリスト志望《しぼう》。愛用《あいよう》の一眼《いちがん》レフカメラとともに、真実《しんじつ》、健太《けんた》と建物《たてもの》で起《お》こる怪奇現象《かいきげんしょう》を取材《しゅざい》。

「えっ、今《いま》から仕事《しごと》?」

ある日《ひ》。とある大《おお》きな家《いえ》のリビングに、一組《ひとくみ》の若《わか》い夫婦《ふうふ》がいた。

彼《かれ》らの前《まえ》には、ひげを生《は》やした気難《きむずか》しそうな雰囲気《ふんいき》の初老《しょろう》の男性《だんせい》が立《た》っている。

「お父《とう》さん、どうしてこんな日《ひ》に仕事《しごと》を入《い》れたの? 私《わたし》たちが来《く》ることは言《い》ってあったでしょ」

娘《むすめ》は、父親《ちちおや》である男性《だんせい》に詰《つ》め寄《よ》るが、彼《かれ》は表情《ひょうじょう》を変《か》えない。

「急《きゅう》に打《う》ち合《あ》わせが入《はい》ったんだ。仕方《しかた》がないだろう」

「お義父《とう》さん……」

娘《むすめ》の夫《おっと》も、男性《だんせい》の態度《たいど》に困《こま》っているようだ。

男性《だんせい》は、そんな彼《かれ》らをうっとうしそうに見《み》つめると、テーブルに置《お》いてあった一枚《いちまい》の紙《かみ》を手《て》に取《と》った。

「今度《こんど》の作品《さくひん》が完成《かんせい》すれば、みんなまた驚《おどろ》くだろう。だが、そのためにはやらなければいけないことがまだまだある……」

紙《かみ》には、建物《たてもの》の図面《ずめん》が細《こま》かく描《えが》かれている。

「お父《とう》さんが建築家《けんちくか》という仕事《しごと》に誇《ほこ》りを持《も》っているのはわかるけど、だからって、こんな日《ひ》まで打《う》ち合《あ》わせしなくてもいいでしょ」

「そうですよ。せっかくの記念日《きねんび》なんですから」

「そんなことはわかってる！」

男性《だんせい》は2人《ふたり》をジロリとにらんだ。

娘夫婦《むすめふうふ》はその鋭《するど》い眼光《がんこう》にたじろぎ、何《なに》も言《い》えなくなってしまう。

すると、男性《だんせい》の服《ふく》の袖《そで》を誰《だれ》かがつかんだ。

「おじいちゃん、おでかけするの？」

小《ちい》さな男《おとこ》の子《こ》だ。

男性《だんせい》は、鋭《するど》い眼光《がんこう》のまま、その子《こ》どものほうを見《み》た。

「お父《とう》さん！」

そんな彼《かれ》の態度《たいど》を、娘《むすめ》が注意《ちゅうい》する。

男性《だんせい》は少《すこ》し、ばつの悪《わる》そうな様子《ようす》で顔《かお》をそむけた。

小《ちい》さな男《おとこ》の子《こ》は、キョトンとした表情《ひょうじょう》で、男性《だんせい》をじっと見《み》つめた。

「おじいちゃん、ぼくのおたんじょうび、おいわいしてくれないの？」

今日《きょう》は、娘夫婦《むすめふうふ》の子《こ》どもの誕生日《たんじょうび》だった。

彼《かれ》らはそれをともに祝《いわ》うために、わざわざ男性《だんせい》の家《いえ》に来《き》ていたのだ。

「それは……」

男性《だんせい》は戸惑《とまど》いながらも、袖《そで》をつかんでいた男《おとこ》の子《こ》の手《て》を離《はな》した。

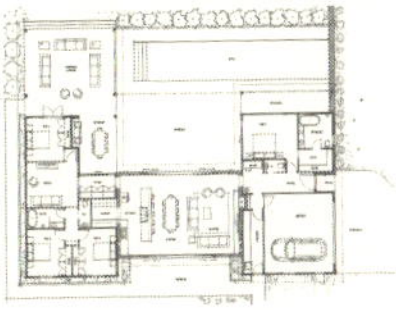

建物《たてもの》の図面《ずめん》
建物《たてもの》の形《かたち》や部屋《へや》の配置《はいち》、広《ひろ》さ、寸法《すんぽう》などを書《か》き込《こ》んだもの。平面図《へいめんず》（上《うえ》の図《ず》）や断面《だんめん》図《ず》など、さまざまな種類《しゅるい》がある。

建築家《けんちくか》
小《ちい》さな家《いえ》から大《おお》きなスタジアムまで、さまざまな建物《たてもの》を設計《せっけい》する仕事《しごと》に携《たずさ》わる人《ひと》。建物《たてもの》の外観《がいかん》や中《なか》の部屋《へや》の構造《こうぞう》までいろいろなことを考《かんが》え、設計《せっけい》図《ず》をつくる。

「だけど今《いま》は、仕事《しごと》をしなくちゃいかん。私《わたし》がいないことには何《なに》も動《うご》かんのだ」

そう言《い》うと、男性《だんせい》は図面《ずめん》を筒型《つつがた》の収納《しゅうのう》ケースに入《い》れて、出《で》かけようとした。

「お父《とう》さん……」

娘夫婦《むすめふうふ》はあきれているようだ。

男《おとこ》の子《こ》も、さびしそうに彼《かれ》を目《め》で追《お》っている。

男性《だんせい》は、部屋《へや》のドアを開《あ》け、出《で》ていこうとする。その寸前《すんぜん》、ふと立《た》ち止《ど》まると、男《おとこ》の子《こ》のほうを振《ふ》り返《かえ》った。

「この家《いえ》にいれば、退屈《たいくつ》はしないはずだ。いろいろ面白《おもしろ》いものがあるからなぁ。最高《さいこう》の誕生《たんじょう》日《び》になるぞ。ハッハッハッ」

男性《だんせい》は、笑《わら》いながら部屋《へや》を出《で》ていく。

男《おとこ》の子《こ》は何《なに》も言《い》わず、そんな彼《かれ》をただ見《み》つめ続《つづ》けるのだった。

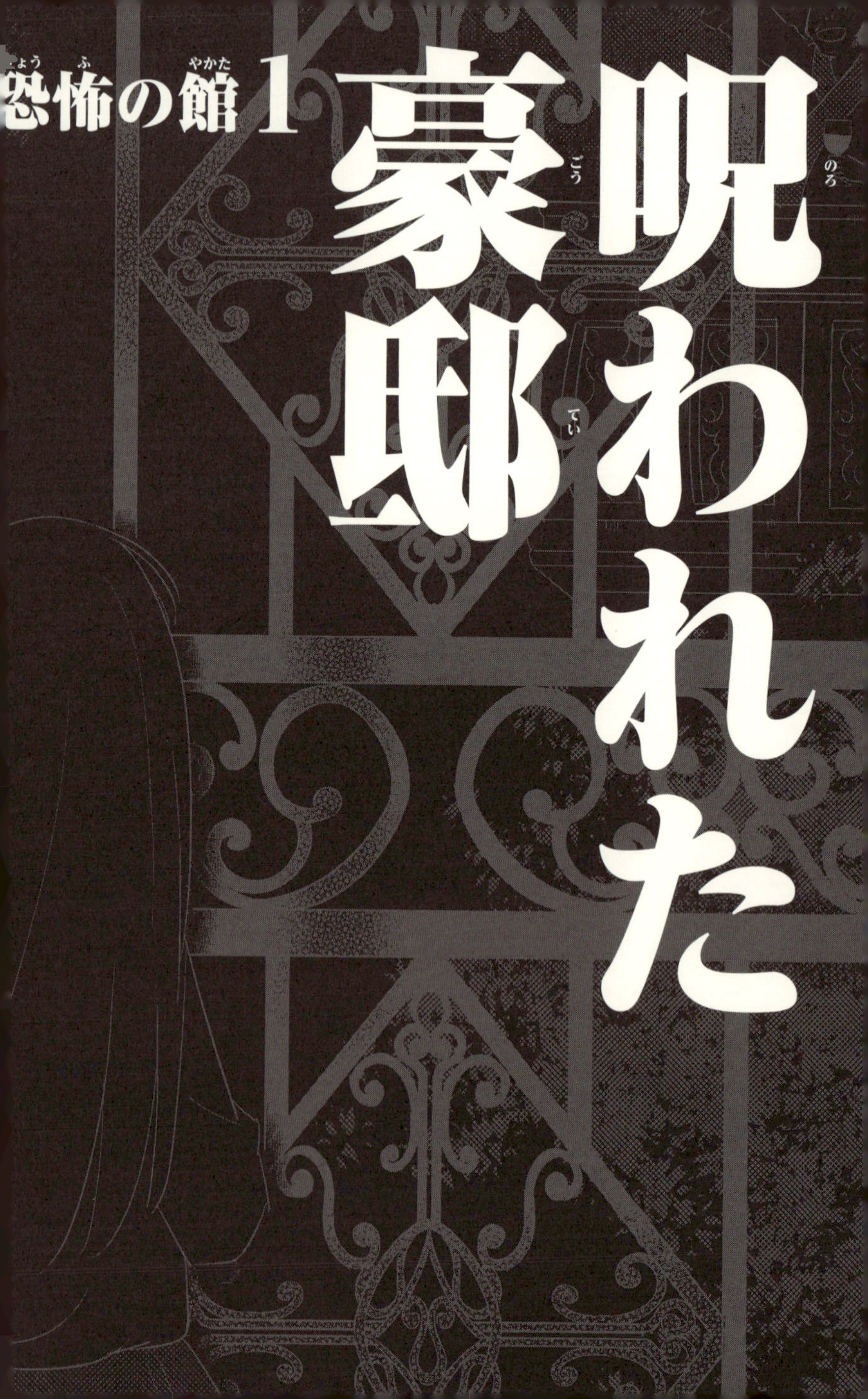

恐怖《ふ》の館《やかた》1

呪《のろ》われた豪《ごう》邸《てい》

〜女《じょ》優《ゆう》の怨《おん》霊《りょう》

日曜日《にちようび》の昼下《ひるさ》がり。花森小学校《はなもりしょうがっこう》6年生《ねんせい》の宮下健太《みやしたけんた》は同級生《どうきゅうせい》の謎野真実《なぞのしんじつ》、青井美希《あおいみき》と歩《ある》いていた。

そこは、花森町《はなもりちょう》で大《おお》きな屋敷《やしき》が立《た》ち並《なら》ぶ高級住宅街《こうきゅうじゅうたくがい》だ。

「大《おお》きいお屋敷《やしき》ばかりだけど……。ねぇ美希《みき》ちゃん、ほんとに地図合《ちずあ》ってる?」

「絶対合《ぜったいあ》ってるって! でも……アパートから引《ひ》っ越《こ》したハマセンが、こんなとこに住《す》むわけないよね……」

美希《みき》はあらためて、タブレットのアプリで地図《ちず》を確認《かくにん》する。

健太《けんた》たちは、引《ひ》っ越《こ》したばかりのハマセンこと、学年主任《がくねんしゅにん》の浜田典夫先生《はまだのりおせんせい》の新居《しんきょ》に招待《しょうたい》されていたのだ。

「やっぱり帰《かえ》ろうよ。きっと先生《せんせい》が住所《じゅうしょ》を間違《まちが》えて伝《つた》えたんだよ」

健太《けんた》が引《ひ》き返《かえ》そうとすると、手土産《てみやげ》を持《も》って最後尾《さいこうび》を歩《ある》いていた真実《しんじつ》が立《た》ち止《ど》まった。

真実《しんじつ》は、静《しず》かに耳《みみ》をすませる。

「どうかしたの、真実《しんじつ》くん?」

健太《けんた》はたずねた。

「どこからか、先生《せんせい》の声《こえ》がするんだ」

健太《けんた》と美希《みき》も一緒《いっしょ》に耳《みみ》をすませると、「お～い」という声《こえ》が聞《き》こえてくる。

「……ほんとだ！　あれ、この屋敷《やしき》の中《なか》から聞《き》こえるぞ」

健太《けんた》は、あたりで一番大《いちばんおお》きな門《もん》がある屋敷《やしき》の前《まえ》に駆《か》け寄《よ》った。

門《もん》の隙間《すきま》から、そっと中《なか》をのぞくと、広《ひろ》い庭《にわ》の向《む》こうに大豪邸《だいごうてい》が見《み》えた。

よく見《み》ると、なんと大豪邸《だいごうてい》の2階《かい》のバルコニーから、ワイングラスを手《て》にしたハマセンが、通《とお》りに向《む》かって手《て》を振《ふ》って呼《よ》んでいるのだ。

アプリ
「アプリケーションソフト」の略《りゃく》。スマートフォンやタブレット、パソコン上《じょう》で文章《ぶんしょう》を書《か》いたり絵《え》を描《か》いたりするなどの特定《とくてい》の目的《もくてき》のために作《つく》られたソフトのこと。

バルコニー
建物《たてもの》から外《そと》に張《は》り出《だ》し、手《て》すりなどをつけた台《だい》。特《とく》に洋風《ようふう》建築《けんちく》で多《おお》く見《み》られる。

ワイングラス
ワインを飲《の》むための脚《あし》の長《なが》いグラス。ワインの種類《しゅるい》によって、適《てき》したグラスの形《かたち》や大《おお》きさも変《か》わってくる。

「ガハハ、すごいだろ、この家《いえ》！　まるでハリウッドスターの家《いえ》みたいだろ」

シルクのガウンを羽織《はお》ったハマセンが、健太《けんた》たちを敷地内《しきちない》へと招《まね》き入《い》れてくれた。

大《おお》きな門《もん》があり、広《ひろ》い庭《にわ》のある大豪邸《だいごうてい》だ。大豪邸《だいこうてい》の壁《かべ》は真《ま》っ白《しろ》で、古風《こふう》な西欧風様式《せいおうふうようしき》と、モダンが融合《ゆうごう》したデザインになっている。

健太《けんた》と美希《みき》は目《め》を丸《まる》くして驚《おどろ》いている。

「先生《せんせい》、宝《たから》くじでも当《あ》てたんですか!?」

「ハハハ、宮下《みやした》、だったら最高《さいこう》なんだがな。実《じつ》は親《おや》が地神《ちがみ》っていう不動産屋《ふどうさんや》と知《し》り合《あ》いで、1カ月《げつ》だけ住《す》んでみるように頼《たの》まれたんだよ」

美希《みき》はハッとする。

「**あ、地神不動産《ちがみふどうさん》！**　私《わたし》たちが前《まえ》に依頼《いらい》を受《う》けたとこだ。みんなで※廃病院《はいびょういん》の怪奇現象《かいきげんしょう》を解《かい》決《けつ》したよね」

真実《しんじつ》は一人《ひとり》、広《ひろ》い庭《にわ》を見渡《みわた》していた。

※『科学探偵《かがくたんてい》 怪奇事件《かいきじけん》ファイル　廃病院《はいびょういん》に舞《ま》う霊魂《れいこん》』参照《さんしょう》

「自然美《しぜんび》にあふれたイングリッシュガーデン風《ふう》で、立派《りっぱ》なお庭《にわ》ですね」

「さすが、謎野《なぞの》！　この庭《にわ》の素晴《すば》らしさがわかるか！　外国《がいこく》の造園家《ぞうえんか》がつくった、世界《せかい》中《じゅう》のさまざまな種類《しゅるい》の植物《しょくぶつ》を集《あつ》めた、こだわりの庭《にわ》なんだそうだ」

健太《けんた》が声《こえ》を上《あ》げる。

「あっ、ミミズもいるや！　植物《しょくぶつ》にすごくいい環境《かんきょう》ですね。ミミズは枯《か》れ葉《は》を食《た》べてフンをして土《つち》を肥《こ》やしてくれますもんね」

「よくぞ気《き》づいてくれたな。実《じつ》はムカデとかもいるから、気《き》をつけなきゃいけないんだ。野鳥《やちょう》やタヌキなんかも遊《あそ》びにきたり、いろんな生《い》き物《もの》が共生《きょうせい》できる豊《ゆた》かな庭《にわ》なんだ」

ハマセンはこの庭《にわ》で散歩《さんぽ》したり、お茶《ちゃ》を飲《の》んだり、植物《しょくぶつ》の手入《てい》れをしたり、とても楽《たの》しく過《す》ごしているという。

「さぁわが家《や》の中《なか》も案内《あんない》しよう。といっても広《ひろ》すぎて、まだ全部《ぜんぶ》の部屋《へや》を把握《はあく》していないんだけどな」

ハマセンはまず、3人《にん》をキッチンに案内《あんない》した。

そこは広々《ひろびろ》としていて、大《おお》きな冷蔵庫《れいぞうこ》や、食器洗浄機《しょっきせんじょうき》（食洗機《しょくせんき》）があった。冷蔵庫《れいぞうこ》には、大《おお》きなかたまり肉《にく》や新鮮《しんせん》な野菜《やさい》、チーズなど高級食材《こうきゅうしょくざい》がたっぷり入《はい》っている。

「毎晩《まいばん》、高級《こうきゅう》ワインと、海外《かいがい》の珍《めずら》しいチーズを食《た》べるのが最高《さいこう》の時間《じかん》なんだ！」

続《つづ》くリビングもとても広《ひろ》く、窓《まど》が大《おお》きく開《かい》

イングリッシュガーデン イギリス式《しき》の、自然《しぜん》や風景《ふうけい》をそのまま生《い》かした庭園《ていえん》のこと。

食器洗浄機《しょっきせんじょうき》（食洗機《しょくせんき》） 汚《よご》れた食器《しょっき》を自動的《じどうてき》に洗《あら》う電《でん》化製品《かせいひん》。家庭用《かていよう》のものは温水《おんすい》を噴《ふ》き付《つ》けて洗《あら》う方式《ほうしき》が多《おお》い。近年《きんねん》は日本《にほん》でも普及《ふきゅう》が進《すす》んでいる。

放的《ほうてき》だ。古《ふる》いピアノや、アンティークの家具《かぐ》などが並《なら》んでいる。

「前《まえ》の住人《じゅうにん》が残《のこ》していった家具《かぐ》も全部《ぜんぶ》使《つか》っていいんだ。家賃《やちん》も冷蔵庫《れいぞうこ》の食材《しょくざい》も全部《ぜんぶ》タダで、しかもどんどん補充《ほじゅう》してくれる！」

「全部《ぜんぶ》タダ⁉」

健太《けんた》は思《おも》わず大《おお》きな声《こえ》をあげた。けげんな表情《ひょうじょう》の美希《みき》はつぶやく。

「……そんなうまい話《はなし》あるかなぁ。地神不動産《ちがみふどうさん》にぜんぜんメリットがないし」

「そんなの決《き》まってるじゃないか。教師《きょうし》で人格者《じんかくしゃ》のオレが、ここで優雅《ゆうが》に暮《く》らせば、この家《いえ》の宣伝効果《せんでんこうか》バツグンだからだ！」

ハマセンがリビングで紅茶《こうちゃ》をいれ、冷蔵庫《れいぞうこ》に入《はい》っていたイチゴのタルトなど、豪華《ごうか》なスイーツを振《ふ》る舞《ま》ってくれた。

「洗《あら》い物《もの》はオレがするから、みんな、ゆっくりしていてくれ。ここには食洗機《しょくせんき》も備《そな》え付《つ》けられているから、楽《らく》ちんなんだ」

「先生《せんせい》、トイレをお借《か》りしたいんですけど」

「お、宮下《みやした》、トイレは廊下《ろうか》のつきあたりだぞ」


健太《けんた》は部屋《へや》を出《で》て、薄暗《うすぐら》く長《なが》い廊下《ろうか》を歩《ある》いた。

「この屋敷《やしき》、ほんとめちゃくちゃ広《ひろ》いなぁ」

健太《けんた》はふと、廊下《ろうか》の隅《すみ》にあるアンティークの美《うつく》しいサイドテーブルに目《め》を留《と》めた。

「……あれ、引《ひ》き出《だ》しが開《あ》いてるぞ」

アンティーク
古《ふる》くて品格《ひんかく》のあるもの。家《か》具《ぐ》や美術品《びじゅつひん》など、希少価値《きしょうかち》のあるものに使《つか》われることが多《おお》い。

サイドテーブル
ベッドの脇《わき》や、壁際《かべぎわ》などに置《お》く小《ちい》さな机《つくえ》のこと。

健太《けんた》が中《なか》をのぞくと、古《ふる》く、黒《くろ》ずんだ木箱《きばこ》が入《はい》っていた。

好奇心《こうきしん》に駆《か》られた健太《けんた》は、木箱《きばこ》を開《あ》ける。

そこには、古《ふる》いモノクロ写真《しゃしん》がたくさん入《はい》っていた。

ドレスや、着物姿《きものすがた》で写《うつ》る同《おな》じ女性《じょせい》の写真《しゃしん》だ。しかし……

どれも顔《かお》が見《み》えない。


「ええっ!?」


悲鳴《ひめい》をあげた健太《けんた》は、木箱《きばこ》を落《お》とし、写真《しゃしん》が床《ゆか》に散《ち》らばった。

「どうしたの、健太《けんた》くん?」

悲鳴《ひめい》を聞《き》き、やってきた美希《みき》も、床《ゆか》に散《ち》らばった写真《しゃしん》に気《き》づく。


「……なに、この写真《しゃしん》!?」

どの写真《しゃしん》も、女性《じょせい》の顔《かお》の部分《ぶぶん》だけが、マジックで塗《ぬ》りつぶされていたのだ。

「……前《まえ》に住《す》んでいた人《ひと》の写真《しゃしん》かな？」

つぶやきながら、こわごわと健《けん》太《た》が写真《しゃしん》を拾《ひろ》っていたときだった。


ドゴンッ!!


壁《かべ》の向《む》こうで鳴《な》った大《おお》きな音《おと》に、びっくりした健《けん》太《た》はドスンと尻《しり》もちをつく。

美《み》希《き》もギョッとして首《くび》をすくめ、声《こえ》をあげた。

「今《いま》の、何《なん》の音《おと》っ!?」


ダダンッ！　ダン!!　ガゴゴンッ!!


さらに大《おお》きな音《おと》が何度《なんど》もして、やんだ。

恐怖《きょうふ》でじっと目《め》をつぶっていた健《けん》太《た》は、こわごわと目《め》を開《あ》ける。

「誰《だれ》かが壁《かべ》を殴《なぐ》ってるような音《おと》がしたよね。ぼくたち以外《いがい》に誰《だれ》かいるのかな!?」

音《おと》のした廊下《ろうか》の壁《かべ》には、扉《とびら》が並《なら》んでいる。

勇気《ゆうき》を出《だ》して美希《みき》が一《ひと》つの扉《とびら》を開《あ》けるが、そこは物置《ものおき》で、誰《だれ》もいなかった。
続《つづ》いて健太《けんた》が隣《となり》の扉《とびら》を開《あ》けてみると、そこには地下《ちか》へと続《つづ》く階段《かいだん》があった。
「え、なんだろ!?　この階段《かいだん》」

「地下室《ちかしつ》があるなんて……オレも知《し》らなかったぞ」

健太《けんた》たちに呼《よ》ばれて、キッチンからハマセンもやってきた。

真実《しんじつ》も加《くわ》わって、全員《ぜんいん》で慎重《しんちょう》に、階段《かいだん》を下《お》りていく。

すると、つきあたりに深紅《しんく》のドアがあった。

金色《きんいろ》に輝《かがや》く取《と》っ手《て》があり、模様《もよう》が刻《きざ》まれている。

「アンモナイトだ。ドアの取《と》っ手《て》にまで凝《こ》ったデザインが施《ほどこ》されているんだね」

真実《しんじつ》はつぶやいた。

ハマセンが力《ちから》を入《い》れてドアを開《ひら》き、電気《でんき》をつけると、中《なか》には学校《がっこう》の教室《きょうしつ》ぐらいの部屋《へや》が広《ひろ》がっていた。

真《ま》っ赤《か》なふかふかのシートが20席《せき》ほど並《なら》び、古《ふる》い映写機《えいしゃき》がある。

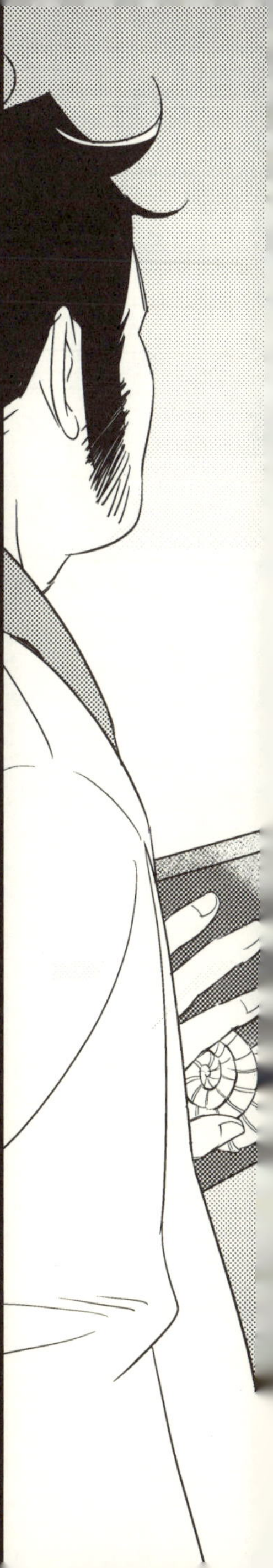

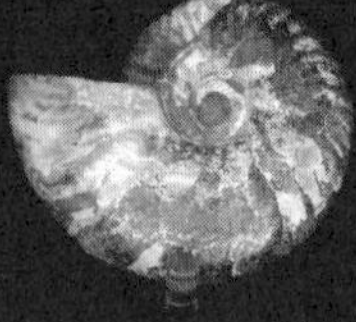

アンモナイト
古生代《こせいだい》に登場《とうじょう》し、中生代《ちゅうせいだい》に栄《さか》えたが絶滅《ぜつめつ》したイカ、タコの仲間《なかま》（212ページ参《さん》照《しょう》）。世界各地《せかいかくち》で化石《かせき》が見《み》つかっている。

フィルム
薄《うす》い合成樹脂《ごうせいじゅし》（プラスチック）の膜《まく》に、光《ひかり》に反応《はんのう》する特別《とくべつ》な物質《ぶっしつ》を塗《ぬ》ったもの。デジタル撮影《さつえい》が主流《しゅりゅう》になるまではフィルムで写真《しゃしん》、映《えい》画《が》を撮影《さつえい》するのが一般的《いっぱんてき》だった。

「え、映画館《えいがかん》だ!!　棚《たな》に並《なら》ぶ、この缶《かん》には映画《えいが》のフィルムが入《はい》っているぞ！　前《まえ》の住人《じゅうにん》はどえらい金持《かねも》ちだったんだな」

ハマセンは一人《ひとり》興奮《こうふん》して、室内《しつない》を見回《みまわ》す。

大学生《だいがくせい》のときに映画研究《えいがけんきゅう》サークルに所属《しょぞく》していたというハマセンは、フィルムを扱《あつか》えるので、古《ふる》い缶《かん》に入《はい》っていたフィルムを出《だ》して、映写機《えいしゃき》にセットする。

健太《けんた》はフィルムの缶《かん》を見《み》つめる。

「こんなので映画《えいが》が見《み》られるんですか？」

「今《いま》じゃスマホやパソコンでも映画《えいが》は見《み》られるが、昔《むかし》の映画館《えいがかん》では、こうやってフィルムを回《まわ》して上映《じょうえい》していたんだぞ」

部屋《へや》を暗《くら》くして、健太《けんた》は、美希《みき》や真実《しんじつ》とともに座席《ざせき》からスクリーンを見《み》つめた。

映画《えいが》は、途中《とちゅう》のシーンから始《はじ》まった。

画面《がめん》いっぱいに、モノクロの女性《じょせい》の顔《かお》が映《うつ》し出《だ》される。

「映画《えいが》スターの白鳥節子《しらとりせつこ》だ！　昔《むかし》、活躍《かつやく》していた伝説的《でんせつてき》な女優《じょゆう》だ」

映写機《えいしゃき》の横《よこ》でスクリーンを見《み》ていたハマセンが声《こえ》をあげた。

「わぁ……キレイな人《ひと》」

美希《みき》は、女優《じょゆう》の美《うつく》しさにため息《いき》をついた。

白《しろ》い着物姿《きものすがた》の節子《せつこ》は、夫《おっと》である侍《さむらい》に刀《かたな》で斬《き》られ、悲鳴《ひめい》をあげる。

結《ゆ》っていた髪《かみ》がほどけて、節子《せつこ》の美《うつく》しい顔《かお》に大量《たいりょう》の血《ち》が流《なが》れた。

「……この恨《うら》み、忘《わす》れるものか……そなたを永遠《えいえん》に呪《のろ》ってやるからな！」

（白黒《しろくろ》の映画《えいが》って初《はじ》めて見《み》た……。どうしよう、これってもしかして怖《こわ》い映画《えいが》なの？）

いきなりのシリアスな展開《てんかい》に、健太《けんた》は緊張《きんちょう》して、息《いき》をのんだ。

すると、大画面《だいがめん》の節子《せつこ》の顔《かお》が急《きゅう》に止《と》まった。

顔《かお》がひずんで、ドロドロと溶《と》けていく。

「か、か、顔《かお》が溶《と》けたっ‼」

ギョッとして、健太《けんた》と美《み》希《き》はのけぞった。

その瞬間《しゅんかん》、今度《こんど》は映写機《えいしゃき》から炎《ほのお》があがった！

ハマセンはあわてて座席《ざせき》にあったひざ掛《か》けを映写機《えいしゃき》にかぶせ、なんとか消火《しょうか》する。

「みんな、念《ねん》のため、いったん地下室《ちかしつ》から出《で》ましょう。有毒《ゆうどく》ガスが出《で》ている可能性《かのうせい》がある」

真実《しんじつ》は3人《にん》に声《こえ》をかけ、健太《けんた》たちはあわてて地下室《ちかしつ》から飛《と》び出《だ》した。

「……びっくりしたぁ。顔《かお》が急《きゅう》に溶《と》けたと思《おも》ったら、映写機《えいしゃき》も燃《も》えてるんだもん。これって……何《なに》かの呪《のろ》いだよね⁉」

健太《けんた》が取《と》り乱《みだ》していると、真実《しんじつ》が解説《かいせつ》した。

「健太《けんた》くん、呪《のろ》いなんかではないよ。上映《じょうえい》していたフィルムが、映写機《えいしゃき》に引《ひ》っかかって止《と》まり、光源《こうげん》である強力《きょうりょく》なランプに長《なが》い時間《じかん》あたって発火《はっか》したんだ。フィルムが燃《も》える様子《ようす》がスクリーンに映《うつ》って、顔《かお》が溶《と》けたように見《み》えただけさ」

「フィルムって燃《も》えるの？」

「ああ、健太《けんた》くん。古《ふる》い映画《えいが》のフィルムには、燃《も》えやすい素材《そざい》が使《つか》われて

燃《も》えやすい素材《そざい》
1940年代《ねんだい》ごろまで使《つか》われていたフィルムの素材《そざい》は燃《も》えやすく、たびたび貴重《きちょう》なフィルムが火災《かさい》で失《うしな》われている。現在《げんざい》のフィルムは燃《も》えにくい素材《そざい》が使《つか》われている。

フィルムで映《うつ》す映写機《えいしゃき》のしくみ

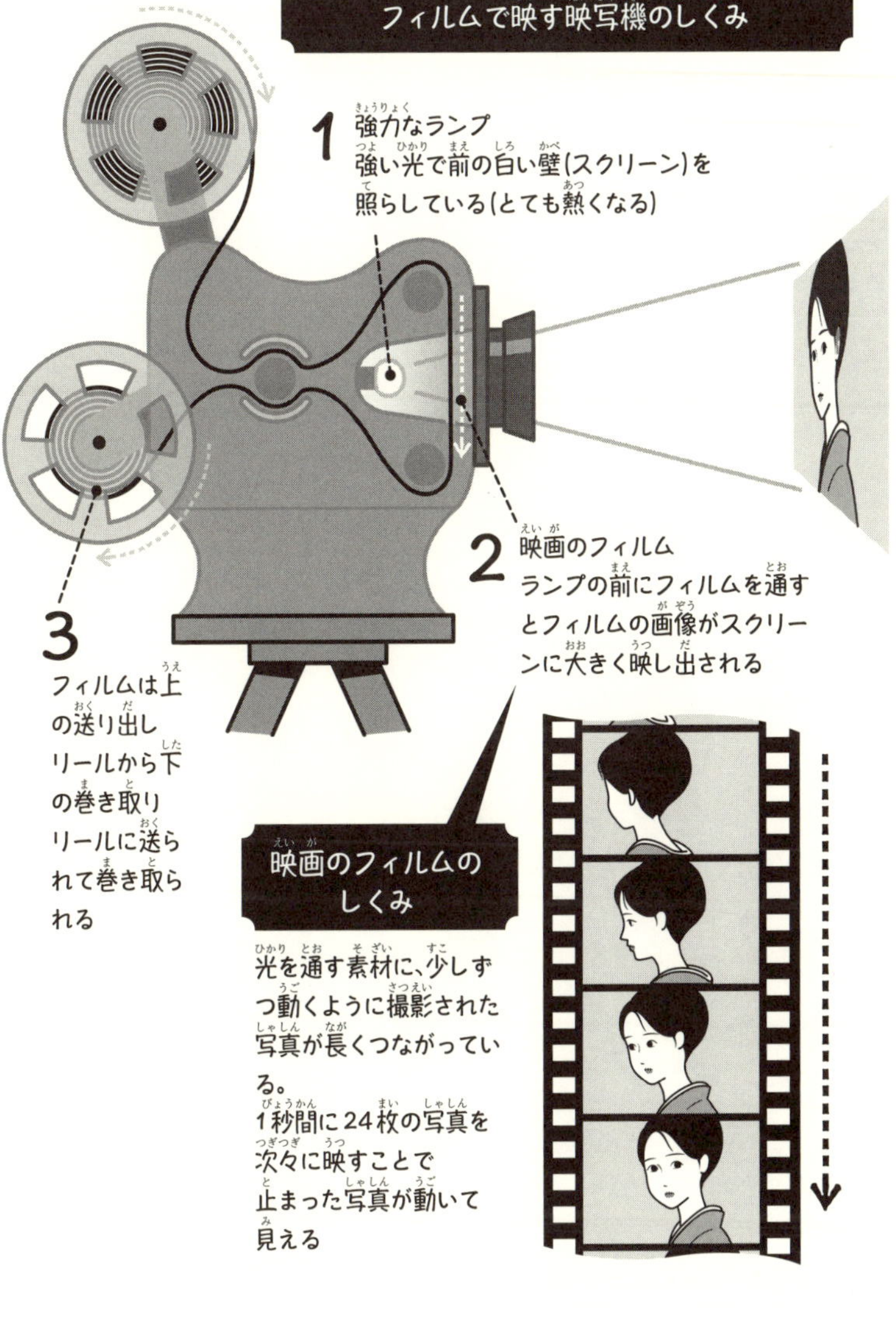
1 強力《きょうりょく》なランプ
強《つよ》い光《ひかり》で前《まえ》の白《しろ》い壁《かべ》(スクリーン)を照《て》らしている(とても熱《あつ》くなる)
スクリーン
2 映画《えいが》のフィルム
ランプの前《まえ》にフィルムを通《とお》すとフィルムの画像《がぞう》がスクリーンに大《おお》きく映《うつ》し出《だ》される
3 フィルムは上《うえ》の送《おく》り出《だ》しリールから下《した》の巻《ま》き取《と》りリールに送《おく》られて巻《ま》き取《と》られる
映画《えいが》のフィルムのしくみ
光《ひかり》を通《とお》す素材《そざい》に、少《すこ》しずつ動《うご》くように撮影《さつえい》された写真《しゃしん》が長《なが》くつながっている。
1秒間《びょうかん》に24枚《まい》の写真《しゃしん》を次々《つぎつぎ》に映《うつ》すことで止《と》まった写真《しゃしん》が動《うご》いて見《み》える

いた時代《じだい》があったんだ。だから昔《むかし》、映画館《えいがかん》で悲惨《ひさん》な火事《かじ》が起《お》きたりしたんだ」

帰《かえ》り道《みち》、ずっと思《おも》いつめていた健太《けんた》は、口《くち》を開《ひら》く。

「……あの屋敷《やしき》、絶対《ぜったい》なんか変《へん》だったよね。誰《だれ》もいないのに壁《かべ》から音《おと》がするし、気味《きみ》の悪《わる》い写真《しゃしん》がたくさんあってさ。あれって絶対《ぜったい》に、事故物件《じこぶっけん》だよね……」

「事故物件《じこぶっけん》って、孤独死《こどくし》とか、自殺《じさつ》とか、事件《じけん》があって、人《ひと》が死《し》んだ物件《ぶっけん》って意味《いみ》？」

美希《みき》の言葉《ことば》に、健太《けんた》は神妙《しんみょう》にうなずく。

「うん……。事故物件《じこぶっけん》って、ふつうの物件《ぶっけん》より安《やす》いって聞《き》くしさ」

「ありえるね……。私《わたし》も最初《さいしょ》、なんであんなところにタダで住《す》めるか納得《なっとく》いかなかった」

重苦《おもくる》しい空気《くうき》が流《なが》れ、健太《けんた》と美希《みき》も黙《だま》ってしまう。

事故物件《じこぶっけん》 売《う》ったり貸《か》したりする予定《よてい》の部屋《へや》や一軒家《いっけんや》で、以前《いぜん》そこで殺人《さつじん》などの死亡事故《しぼうじこ》・事件《じけん》などが起《お》こっているもの。

その空気《くうき》をやぶったのは真実《しんじつ》だ。

「疑問《ぎもん》を持《も》ったら、すぐ解消《かいしょう》するにかぎる。関係者《かんけいしゃ》に直接話《ちょくせつはなし》を聞《き》いてみることにしよう」

真実《しんじつ》の言葉《ことば》を受《う》けて、さっそく健太《けんた》たちは花森町《はなもりちょう》の商店街《しょうてんがい》にある地神不動産《ちがみふどうさん》を訪《おとず》れることにした。

「久《ひさ》しぶりだねぇ。そうかい、アンタたち、あの浜田《はまだ》くんの教《おし》え子《ご》だったんだね！」

鮮《あざ》やかな紫色《むらさきいろ》の髪《かみ》が印象的《いんしょうてき》な社長《しゃちょう》の地神花代《ちがみはなよ》が、笑顔《えがお》で出迎《でむか》えてくれた。

以前《いぜん》は夫婦《ふうふ》で営《いとな》んでいたが、最近《さいきん》、花代《はなよ》が社長《しゃちょう》となり、社員《しゃいん》も数人雇《すうにんやと》って、店舗《てんぽ》の規模《きぼ》も大《おお》きくなっていた。

健太《けんた》は勇気《ゆうき》を出《だ》して、単刀直入《たんとうちょくにゅう》に地神社長《ちがみしゃちょう》にあの屋敷《やしき》の話《はなし》を聞《き》いた。

「……今《いま》、浜田先生《はまだせんせい》が住《す》んでいる屋敷《やしき》って、絶対《ぜったい》に事故物件《じこぶっけん》ですよね？」

地神社長《ちがみしゃちょう》は、返《かえ》す言葉《ことば》につまった。

「ちょっとキミたち、いきなりなんなんっすか！」

健太《けんた》たちは、沈黙《ちんもく》をひきさいた声《こえ》のほうを見《み》た。

近《ちか》くの机《つくえ》で事務作業《じむさぎょう》をしていた、髪《かみ》の短《みじか》いスーツ姿《すがた》の男性《だんせい》がスッと立《た》ち上《あ》がった。

「まあまあ。あ、こちらは今年《ことし》からうちで働《はたら》き始《はじ》めた、新入社員《しんにゅうしゃいん》の桜田聖人《さくらだせいと》くん」

地神社長《ちがみしゃちょう》が、健太《けんた》たちに紹介《しょうかい》した。

「……最近《さいきん》、みんな面白半分《おもしろはんぶん》ですぐ、どこどこは事故物件《じこぶっけん》だとか、怪談《かいだん》とかにして盛《も》り上《あ》がってるけどね、そういううわさはほとんど大《おお》ウソ。怪奇現象《かいきげんしょう》なんかぜんぜん起《お》きないっすから！」

「桜田《さくらだ》くんは勉強熱心《べんきょうねっしん》で建築《けんちく》にも興味《きょうみ》があって、真面目《まじめ》なのはいいけど、ときどき周《まわ》りが見《み》えなくなるからね」

地神社長《ちがみしゃちょう》がたしなめて、桜田《さくらだ》も、次第《しだい》に落《お》ち着《つ》く。

「……スミマセン、ついカッとしちゃって、オレ」

桜田《さくらだ》は照《て》れくさそうに頭《あたま》をかいて、健太《けんた》たちに頭《あたま》をさげた。

「いえ、ぼくも、いきなり失礼《しつれい》なこと言《い》っちゃって、ごめんなさいっ」

謝《あやま》った健太《けんた》に、真実《しんじつ》が声《こえ》をかける。

「健太《けんた》くん、前《まえ》にも言《い》ったけれど、※イギリスでは幽霊《ゆうれい》が出《で》るという物件《ぶっけん》のほうが逆《ぎゃく》に家賃《やちん》や価格《かかく》が高《たか》くなると言《い》われているんだ。事故物件《じこぶっけん》を恐《おそ》れるのは、日本《にほん》ならではの文化《ぶんか》なんだよ」

「うん……そうだったよね。でも、幽霊《ゆうれい》が出《で》る家《いえ》のほうが価値《かち》があるなんて、ぼくにはどうも納得《なっとく》できないんだよなぁ……」

健太《けんた》は釈然《しゃくぜん》としない気持《きも》ちのままだった。

地神社長《ちがみしゃちょう》が、あの屋敷《やしき》について話《はな》してくれる。

「実《じつ》はね、あの屋敷《やしき》は事故物件《じこぶっけん》じゃないけど、ちょっと変《へん》なうわさが立《た》ってね……。昔《むかし》、活躍《かつやく》した女優《じょゆう》さんがデザインにこだわって建《た》てさせた家《いえ》なんだけど」

「それって、ぼくたちが地下《ちか》で見《み》た映画《えいが》に出《で》てた人《ひと》かも……」と、健太《けんた》がつぶやく。

「その人《ひと》は撮影中《さつえいちゅう》の事故《じこ》でやけどを負《お》って、それが原因《げんいん》で引退《いんたい》し、毎日《まいにち》、地下《ちか》の映画館《えいがかん》で自分《じぶん》の映画《えいが》を見《み》て泣《な》いていたらしくて……。その呪《のろ》いであの屋敷《やしき》に住《す》んだ人《ひと》がやけどしたり、誰《だれ》もいない壁《かべ》からドンドンたたく音《おと》がしたりしたとか、そんなうわさが立《た》ってね」

※『科学探偵《かがくたんてい》vs.呪《のろ》いの修学旅行《しゅうがくりょこう》』参照《さんしょう》

「え……、壁《かべ》から音《おと》？」

心当《こころあ》たりのあった健太《けんた》はゾッとしてつぶやいたが、地神《ちがみ》たちには何《なに》も言《い》えず、そっと美希《みき》の顔《かお》を見《み》て、うなずきあった。

「でも、そんなのはね、偶然《ぐうぜん》とか、気《き》のせい、単《たん》なるうわさ！　建物《たてもの》や家具《かぐ》は本当《ほんとう》に素敵《すてき》だから、食事《しょくじ》なども提供《ていきょう》して、ホテルみたいにできやしないかと、試《ため》しに丈夫《じょうぶ》な浜田《はまだ》くんに住《す》んでみてもらおうと思《おも》ったわけさ！」

その晩《ばん》、健太《けんた》は心配《しんぱい》になってハマセンに電話《でんわ》をかけた。

「……地神《ちがみ》さんたちは怪奇現象《かいきげんしょう》なんてないって言《い》ってたけど、先生《せんせい》は気《き》をつけたほうがいいですよ。ぼくなら、ただちに引《ひ》っ越《こ》します！」

だが、ハマセンは聞《き》く耳《みみ》を持《も》たなかった。

「宮下《みやした》、心配《しんぱい》してくれるのはありがたいが、オレは大丈夫《だいじょうぶ》だ！　ピンピンしてるぞ。そんなのバカげたうわさだよ。幽霊《ゆうれい》が出《で》てきたら、ワインとこのイギリス産《さん》のチーズで一緒《いっしょ》に乾杯《かんぱい》するよ、ガハハハッ」

翌朝《よくあさ》、朝礼《ちょうれい》が終《お》わると、隣《となり》のクラスの美希《みき》が健太《けんた》のいる教室《きょうしつ》へと駆《か》け込《こ》んできた。

「大変《たいへん》大変《たいへん》！　ハマセンがけがして病院《びょういん》に運《はこ》ばれたって!!」

「え、病院《びょういん》に!?」

離《はな》れた席《せき》にいた真実《しんじつ》も、美希《みき》の声《こえ》を聞《き》いて、開《ひら》いたばかりのミステリー小説《しょうせつ》から顔《かお》をあげた。

放課後《ほうかご》、健太《けんた》、美希《みき》、真実《しんじつ》の３人《にん》は花森町《はなもりちょう》にある総合病院《そうごうびょういん》に駆《か》けつけた。

すでにそこには地神社長《ちがみしゃちょう》と桜田《さくらだ》がいて、ベッドにいるハマセンと話《はな》していた。

「アタシャ、浜田《はまだ》くんに本当《ほんとう》に申《もう》し訳《わけ》ないことをしたよ。すまないね」

「いえいえ……命《いのち》に別条《べつじょう》はない、ただのやけどですんだので、オレもホッとしてますよ」

ハマセンは腕《うで》に包帯《ほうたい》を巻《ま》いてはいたが、意識《いしき》はしっかりしていた。

3人《にん》は、胸《むね》をなでおろした。真実《しんじつ》がハマセンにたずねた。

「先生《せんせい》、一体何《いったいなに》が起《お》きたんですか？」

「地下《ちか》の映画館《えいがかん》で映画《えいが》を見《み》て以来《いらい》、なんだか寝苦《ねぐる》しくてな……。寝《ね》ても、白鳥節子《しらとりせつこ》が恐《おそ》ろしい顔《かお》で夢《ゆめ》に出《で》てくるし、誰《だれ》かが壁《かべ》をドンドンたたくし……。おまけにいつのまにか白鳥節子《しらとりせつこ》と同《おな》じ、やけどまでしていた。さすがのオレも、もう、あそこに住《す》むのはゴメンだよ」


「やっぱり……、あの屋敷《やしき》は呪《のろ》われていたんだよ」


ぼうぜんとして、健太《けんた》はつぶやいた。

「……アタシャ、甘《あま》く見《み》てたよ。女優《じょゆう》の呪《のろ》いはうわさなんかじゃなかったんだね……。あの屋敷《やしき》も、そろそろ潮時《しおどき》かもしれないねぇ」

「……社長《しゃちょう》、ということは、取《と》り壊《こわ》すおつもりですか？」

「ああ桜田《さくらだ》くん、あの土地《とち》には、新《あたら》しい建物《たてもの》を建《た》てたほうがいいんだろうね」

「たしかに……呪《のろ》いが本当《ほんとう》なら、壊《こわ》したほうがいいっすよね」

真実《しんじつ》だけは、一人冷静《ひとりれいせい》だった。

「呪《のろ》いと判断《はんだん》するには早《はや》すぎると思《おも》います。まずは落《お》ち着《つ》いて現場《げんば》を観察《かんさつ》することから始《はじ》めましょう」

現場検証《げんばけんしょう》のために、真実《しんじつ》、健太《けんた》、美希《みき》はふたたび屋敷《やしき》を訪《たず》ねた。桜田《さくらだ》も同行《どうこう》してくれた。

美希《みき》は、ハマセンの話《はなし》を書《か》き留《と》めたタブレットを見《み》ながら話《はな》す。

「庭《にわ》で草花《くさばな》の手入《てい》れをした後《あと》に、洗面所《せんめんじょ》の鏡《かがみ》で手《て》が真《ま》っ赤《か》にはれてるのに気《き》づいたって」

全員《ぜんいん》で、庭《にわ》に向《む》かった。健太《けんた》は広《ひろ》い庭《にわ》を見渡《みわた》す。

「どこにも火《ひ》のある場所《ばしょ》はないね。庭《にわ》でやけどなんてありえないよ……。やっぱり孤独《こどく》に死《し》んでいった、不幸《ふこう》な女優《じょゆう》の呪《のろ》いなんだよ！」

健太《けんた》の言葉《ことば》に、桜田《さくらだ》もうなずく。

「たしかに……。この庭《にわ》じゃ、やけどはちょっと考《かんが》えられないっすもんね」

真実《しんじつ》は、黙《だま》って真剣《しんけん》な表情《ひょうじょう》で庭《にわ》を見回《みまわ》している。

ふと何《なに》かに目《め》を留《と》め、スタスタと庭《にわ》の隅《すみ》へと歩《ある》いていく。

「……やはり呪《のろ》いじゃなかった。

先生《せんせい》を傷《きず》つけた犯人《はんにん》が、庭《にわ》にひそんでいたよ」

「犯人《はんにん》が庭《にわ》に!?」

健太《けんた》と美希《みき》は、意外《いがい》な言葉《ことば》に同時《どうじ》に声《こえ》をあげた。

健太《けんた》は、警戒《けいかい》しながら庭《にわ》を見渡《みわた》す。

「あ、そうか、わかったぞ！　ここは生《い》き物《もの》たちも豊《ゆた》かに過《す》ごせる庭《にわ》だから、ムカデにかまれたとか、野鳥《やちょう》とかから何《なに》かに感染《かんせん》したとかじゃないかな」

「でもそれだと、やけどの症状《しょうじょう》にはならないんじゃない？」

美希《みき》は、健太《けんた》に答《こた》えた。

真実《しんじつ》は、おもむろに指先《ゆびさき》を庭《にわ》の隅《すみ》に生《は》えている植物《しょくぶつ》に向《む》けた。

そこには白《しろ》い花《はな》を咲《さ》かせる、2、3メートルの高《たか》さの植物《しょくぶつ》があった。

「犯人《はんにん》はあの花《はな》、

『ジャイアント・ホグウィード』だよ。

ジャイアント・ホグウィード
セリ科《か》の植物《しょくぶつ》で、晩春《ばんしゅん》から夏《なつ》にかけ白《しろ》く大《おお》きな花《はな》を咲《さ》かせる。観賞用《かんしょうよう》として欧米《おうべい》に持《も》ち込《こ》まれたが、樹液《じゅえき》は人体《じんたい》に害《がい》を及《およ》ぼす。

和名《わめい》、バイカルハナウド。セリ科《か》の多年《たねん》生植物《せいしょくぶつ》で、毒《どく》を持《も》ち、世界一凶悪《せかいいちきょうあく》な植物《しょくぶつ》といわれている」

「……植物《しょくぶつ》でやけど!?　そんなに熱《あつ》いの、その花《はな》は？」

「違《ちが》うよ、健太《けんた》くん。ジャイアント・ホグウィードは、その樹液《じゅえき》が危険《きけん》なんだ。茎《くき》や葉《は》を折《お》ったり、茎《くき》の剛毛《ごうもう》を逆《さか》なでするだけで樹液《じゅえき》が肌《はだ》につく。樹液《じゅえき》にはフラノクマリン類《るい》という物質《ぶっしつ》が含《ふく》まれていて、人《ひと》の皮膚《ひふ》の中《なか》に入《はい》りこみ、太陽《たいよう》のエネルギーを吸収《きゅうしゅう》して、植物性光線過敏症《しょくぶつせいこうせんかびんしょう》による皮膚《ひふ》炎《えん》を起《お》こすんだ。いわゆる、やけどだね」

健太《けんた》は、恐怖心《きょうふしん》よりも、初《はじ》めて聞《き》く植物《しょくぶつ》の力《ちから》に感心《かんしん》してしまった。

ハマセンがやけどをした理由《りゆう》

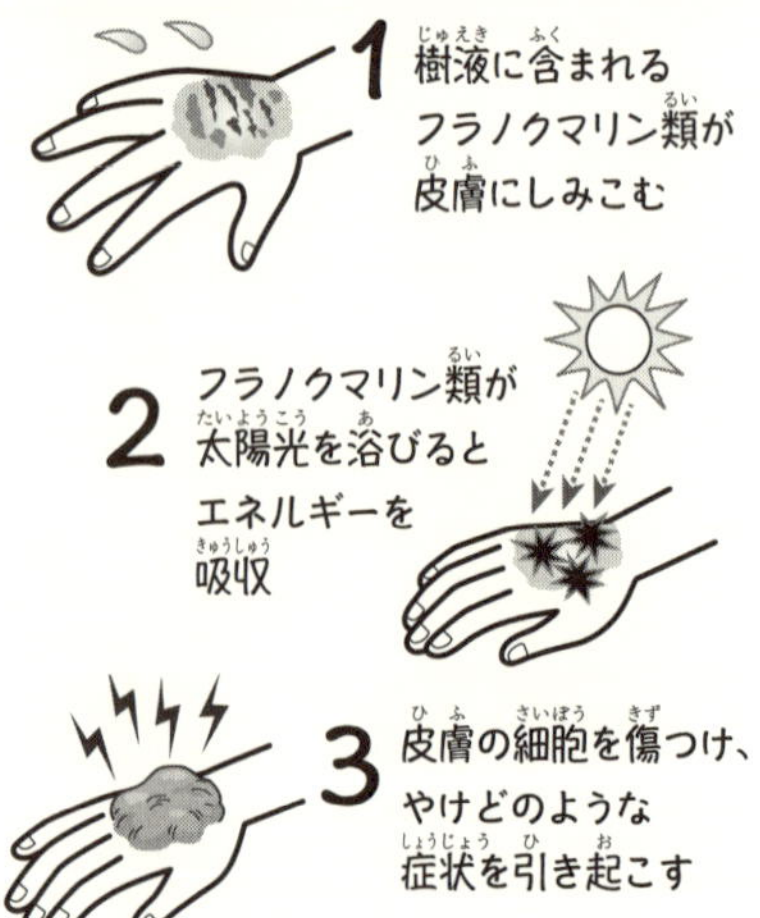
1
樹液《じゅえき》に含《ふく》まれる
フラノクマリン類《るい》が
皮膚《ひふ》にしみこむ
2
フラノクマリン類《るい》が
太陽光《たいようこう》を浴《あ》びると
エネルギーを
吸収《きゅうしゅう》
3
皮膚《ひふ》の細胞《さいぼう》を傷《きず》つけ、
やけどのような
症状《しょうじょう》を引《ひ》き起《お》こす

フラノクマリン類《るい》（フロクマリン類《るい》）
さまざまな植物《しょくぶつ》に含《ふく》まれる有《ゆう》機化合物《きかごうぶつ》の一種《いっしゅ》。昆虫《こんちゅう》などに対《たい》する防御物質《ぼうぎょぶっしつ》と考《かんが》えられている。皮膚《ひふ》につくなどすることで、日光《にっこう》、特《とく》に紫外線《しがいせん》に対《たい》する光線過敏症《こうせんかびんしょう》を引《ひ》き起《お》こす。

「すごい力《ちから》だね……。ほかの生物《せいぶつ》に樹液《じゅえき》をつけ、太陽《たいよう》でやけどするように仕向《しむ》けるなんて、賢《かしこ》い植物《しょくぶつ》だね」

「外敵《がいてき》から身《み》を守《まも》り、種《しゅ》を残《のこ》すための進化《しんか》だろうね」

意外《いがい》な真相《しんそう》を知《し》った桜田《さくらだ》も、ただただ驚《おどろ》いた様子《ようす》だ。

「……そんな危険《きけん》な植物《しょくぶつ》が庭《にわ》にあったなんてぜんぜん知《し》りませんでした！　申《もう》し訳《わけ》ないっす。造園業者《ぞうえんぎょうしゃ》に、庭《にわ》のことは全部《ぜんぶ》まかせていたので」

「……でも真実《しんじつ》くん、誰《だれ》もいないのに壁《かべ》から大《おお》きな物音《ものおと》がしたのは何《なん》だったんだろ？　私《わたし》も健太《けんた》くんと、一緒《いっしょ》に聞《き》いたよ。ものすごい音《おと》で誰《だれ》かが壁《かべ》をたたくような音《おと》」

美希《みき》の言葉《ことば》に、一同《いちどう》は、屋敷《やしき》の廊下《ろうか》に集《あつ》まった。

健太《けんた》は、当時《とうじ》の状況《じょうきょう》を思《おも》い出《だ》して真実《しんじつ》に話《はな》す。

「ハマセンがスイーツと紅茶《こうちゃ》をごちそうしてくれて……。そのあとハマセンが皿《さら》を洗《あら》っている間《あいだ》にぼくはトイレを探《さが》して、この廊下《ろうか》で、あの気味《きみ》の悪《わる》い写真《しゃしん》を見《み》てたら、誰《だれ》かが、思《おも》い切《き》り壁《かべ》を何度《なんど》も殴《なぐ》るような音《おと》がしたんだ」

真実《しんじつ》は、じっと考《かんが》える。

「先生《せんせい》はそのときキッチンにいたんだね……。ちょっとキッチンで試《ため》したいことがあります。みなさんは廊下《ろうか》で待《ま》っていてくれませんか」

真実《しんじつ》がその場《ば》を離《はな》れた。

そのあと、しばらくして……。


ドゴンッ!!


「わっ、まただ！　やっぱり、あの女優《じょゆう》さんが怒《おこ》ってるんだ。呪《のろ》いだよ！」

健太《けんた》はおびえて耳《みみ》をふさいだ。


ダダンッ！　ダン!!

ガゴゴンッ!!


何者《なにもの》かが、怒《おこ》って何度《なんど》も壁《かべ》を殴《なぐ》るような大《おお》きな音《おと》が廊下《ろうか》に響《ひび》く。

さすがの美希《みき》も桜田《さくらだ》も、身《み》を固《かた》くして、オロオロする。

やがて音《おと》がやんで、真実《しんじつ》が廊下《ろうか》を歩《ある》いて戻《もど》ってきた。

「真実《しんじつ》くん、今《いま》あの音《おと》が鳴《な》ってたよ!!」

「科学《かがく》で解《と》けないナゾはない。壁《かべ》から大《おお》きな音《おと》を出《だ》していた犯人《はんにん》は、キッチンにいたよ。この壁《かべ》の向《む》こうに、キッチンとつながっているものがある。それがヒントだよ」

真実《しんじつ》にうながされて、キッチンにやってきた健太《けんた》、美希《みき》、桜田《さくらだ》の3人《にん》は、戸惑《とまど》いながら部《へ》屋《や》を見渡《みわた》した。

はたして、その犯人《はんにん》とは、何《なん》なのだろうか？

冷蔵庫《れいぞうこ》

食洗機《しょくせんき》

オーブン

ミキサー

大量《たいりょう》にあるものを動《うご》かすために音《おと》が出《で》るんだ

解《かい》決《けつ》編《へん》

「犯人《はんにん》は、食洗機《しょくせんき》だよ」

「え、食洗機《しょくせんき》!?　音《おと》の鳴《な》った廊下《ろうか》から、かなり離《はな》れてるのに??」

「ああ健太《けんた》くん。さっき、ぼくはキッチンで食洗機《しょくせんき》を動《うご》かしていたんだ。食洗機《しょくせんき》はたくさんの水《みず》を使《つか》う。あの日《ひ》、健太《けんた》くんと美希《みき》さんがナゾの物音《ものおと》に遭遇《そうぐう》したとき、浜田先生《はまだせんせい》が皿《さら》を洗《あら》っていたと聞《き》いてピンときたんだ。食洗機《しょくせんき》は大量《たいりょう》の水《みず》を流《なが》したり、止《と》めたりを繰《く》り返《かえ》す。その度《たび》に、水道管《すいどうかん》の中《なか》の水《みず》の圧力《あつりょく》がぐっと大《おお》きくなり、大《おお》きな音《おと》が鳴《な》る。これを『ウォーターハンマー現象《げんしょう》』というんだ。浜田先生《はまだせんせい》もこの音《おと》を何度《なんど》も聞《き》いたと言《い》ってた

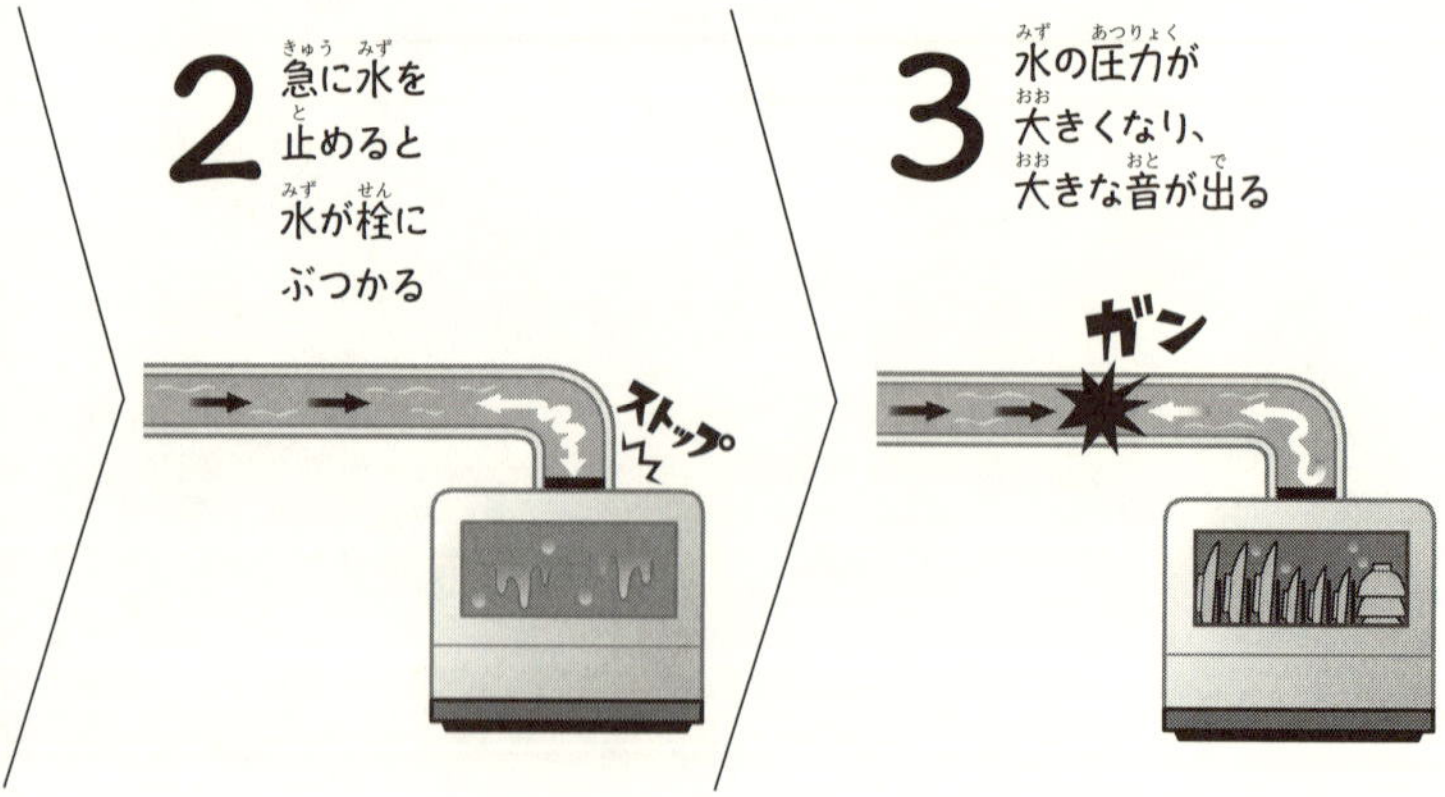
2
急《きゅう》に水《みず》を止《と》めると水《みず》が栓《せん》にぶつかる
ストップ
3
水《みず》の圧力《あつりょく》が大《おお》きくなり、大《おお》きな音《おと》が出《で》る
ガン

から、食洗機《しょくせんき》だけでなく、きっと全自動洗濯機《ぜんじどうせんたくき》も要因《よういん》だね。水《みず》をたくさん使《つか》う電化製品《でんかせいひん》が動《うご》くことによって、屋敷《やしき》の中《なか》の水道管《すいどうかん》に大《おお》きな音《おと》を伝《つた》えるんだ。水《みず》の力《ちから》はすごいんだよ」

「なるほど！　誰《だれ》かが壁《かべ》を殴《なぐ》っていたんじゃなくて、壁《かべ》の向《む》こうにある水道管《すいどうかん》で大《おお》きな音《おと》が鳴《な》っていたってわけか……。じゃあ、ハマセンが悪夢《あくむ》ばかり見《み》たと言《い》ってたのは何《なに》か原因《げんいん》があるの？」

「美希《みき》さん、ぼくはさっき冷蔵庫《れいぞうこ》の中《なか》に食《た》べかけのイギリス産《さん》のスティルトンチーズを発見《はっけん》してね。それは、寝《ね》る前《まえ》に食《た》べると、高確率《こうかくりつ》で夢《ゆめ》を見《み》るという説《せつ》があるチーズなんだ」

「え、そんなチーズがあるの!?　たしかにハマセン、毎晩《まいばん》チーズを食《た》べてたみたいだけど」

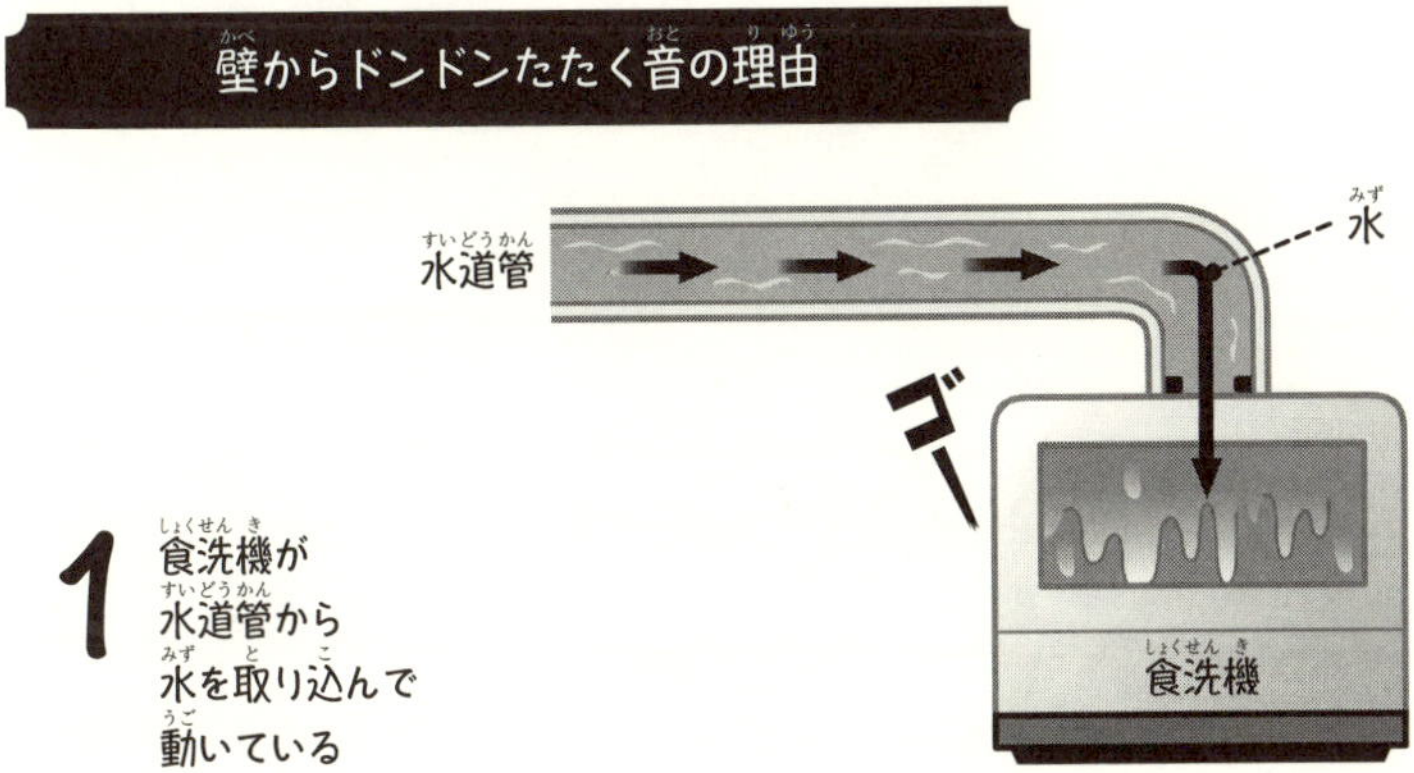
壁《かべ》からドンドンたたく音《おと》の理由《りゆう》
水道管《すいどうかん》
水《みず》
ゴー
1
食洗機《しょくせんき》が
水道管《すいどうかん》から
水《みず》を取《と》り込《こ》んで
動《うご》いている
食洗機《しょくせんき》

「うん、健太《けんた》くん。イギリスのチーズ委員会《いいんかい》もスティルトンチーズを寝《ね》る前《まえ》に食《た》べた人《ひと》の多《おお》くが奇妙《きみょう》な夢《ゆめ》を見《み》たという調査結果《ちょうさけっか》を発表《はっぴょう》しているんだ。チーズの青《あお》カビか、含《ふく》まれているビタミンが脳《のう》に作《さ》用《よう》して、夢《ゆめ》を見《み》やすくさせているという説《せつ》もある。地下《ちか》の映画館《えいがかん》で見《み》た恐《おそ》ろしい映像《えいぞう》が脳《のう》に焼《や》き付《つ》いたことで、夢《ゆめ》が悪夢《あくむ》になってしまったのかもね」

真実《しんじつ》の推理《すいり》を、桜田《さくらだ》はただただ驚《おどろ》いて聞《き》いていた。

「まさか幽霊屋敷《ゆうれいやしき》と呼《よ》ばれる原因《げんいん》が、食洗機《しょくせんき》や、植物《しょくぶつ》にあったなんて、思《おも》いもよりませんでした。でも、これで全部解決《ぜんぶかいけつ》っすね」

「……キミたちはマジでめちゃくちゃすごいっす!!」

スティルトンチーズ、青《あお》カビ

青《あお》カビはもちやパンなどに生《は》えるカビの一種《いっしゅ》で、チーズ作《づく》りに使《つか》われる種類《るい》もある。イギリスで作《つく》られる青《あお》カビチーズがスティルトンチーズ。

1カ月半《げっはん》ほどたった土曜《どよう》の昼下《ひるさ》がり。

健太《けんた》、美希《みき》、真実《しんじつ》の3人《にん》はふたたび地神不動産《ちがみふどうさん》にいた。

屋敷《やしき》の怪奇現象《かいきげんしょう》を解明《かいめい》したお礼《れい》に、地神《ちがみ》が出前《でまえ》でランチをごちそうしてくれるという。

「今日《きょう》は遠慮《えんりょ》せず食《た》べておくれよ！　みんな特上天丼《とくじょうてんどん》でいいね」

「と、と、とくじょうっ！」

健太《けんた》は、特上《とくじょう》の響《ひび》きに胸《むね》をおどらせた。

出前《でまえ》を待《ま》つ間《あいだ》、美希《みき》はみんなに、タブレットで写真《しゃしん》を見《み》せる。

「実《じつ》は、わたくし青井美希《あおいみき》、またまた大《だい》スクープをゲットしました〜っ！」

上品《じょうひん》な老婦人《ろうふじん》と、美希《みき》が一緒《いっしょ》に写《うつ》っていた。

健太《けんた》は、写真《しゃしん》をじっと見《み》て、首《くび》をかしげた。

「あれ、このおばあさん、どっかで見《み》たことあるんだけど……」

「アタシも絶対《ぜったい》に見《み》たことあるよ！　はて、誰《だれ》だっけ??」

地神《ちがみ》も、必死《ひっし》に思《おも》い出《だ》そうと腕《うで》を組《く》んだ。

「女優《じょゆう》の白鳥節子《しらとりせつこ》さんだね」

「真実《しんじつ》くん、当《あ》たり！」

なんと白鳥節子《しらとりせつこ》は100歳《さい》を超《こ》えていたが、生《い》きていたのだ。

彼女《かのじょ》は映画界《えいがかい》を引退《いんたい》したあと、マスコミやファンを避《さ》けて、屋敷《やしき》で猫《ねこ》を飼《か》ったりして独身生活《どくしんせいかつ》をエンジョイしていた。だが、高齢《こうれい》となったため屋敷《やしき》を手放《てばな》して、今《いま》は老人《ろうじん》ホームで元気《げんき》に暮《く》らしているという。

商店街《しょうてんがい》を取材《しゅざい》していた美希《みき》が、仲《なか》の良《よ》かった老舗《しにせ》の和菓子屋《わがしや》さんからその情報《じょうほう》を得《え》て、本人《ほんにん》へとたどり着《つ》いたのだ。

撮影中《さつえいちゅう》のやけどもたばこの火《ひ》で水《みず》ぶくれした程度《ていど》でたいしたことはなく、引退《いんたい》の原因《げんいん》は、あまりの忙《いそが》しさに疲《つか》れ、仕事《しごと》がいやになったからということだった。

気味《きみ》の悪《わる》い写真《しゃしん》も、女優仕事《じょゆうしごと》がいやで仕方《しかた》なかった節子《せつこ》が、過去《かこ》の自分《じぶん》を忘《わす》れようと全部顔《ぜんぶかお》を黒塗《くろぬ》りにしただけだったのだ。

老人《ろうじん》ホーム　高齢者《こうれいしゃ》のために設《もう》けられた居住施設《きょじゅうしせつ》。

「節子《せつこ》さん、サバサバしていて、すっごく元気《げんき》で明《あか》るい人《ひと》だったよ」

「え～、この世《よ》を呪《のろ》って死《し》んだとか、ぜーんぶ大《おお》ウソだったのか！　さんざん怖《こわ》がって、損《そん》しちゃったよぉ」

口《くち》をとがらせる健太《けんた》に、真実《しんじつ》が言葉《ことば》をかける。

「白鳥《しらとり》さんがマスコミを避《さ》けていて、一切情報《いっさいじょうほう》が出《で》ないので、世間《せけん》がうわさをつくり、うわさだけがひとり歩《ある》きしていたんだね」

白鳥節子《しらとりせつこ》の話《はなし》を聞《き》いて、地神《ちがみ》たちも安心《あんしん》した。

「そうかい、白鳥節子《しらとりせつこ》さんはご健在《けんざい》だったんだねぇ。あの屋敷《やしき》の手続《てつづ》きは白鳥《しらとり》さんの代理人《だいりにん》と交《か》わしただけで、ご本人《ほんにん》の情報《じょうほう》は教《おし》えてくれないし、うちらもてっきりもう亡《な》くなっていると思《おも》ってたよ。それにしても美希《みき》ちゃんの取材力《しゅざいりょく》にはたまげたねぇ」

「いやぁ～、それほどでも。どんなご依頼《いらい》でも、わが社《しゃ》におまかせください！　こちらにいるような優秀《ゆうしゅう》な部下《ぶか》たちをそろえておりますので」

「ちょっと、いつの間《ま》にぼくたち部下《ぶか》になったの？　もう、調子《ちょうし》いいんだから」

健太《けんた》は、美希《みき》をたしなめた。

地神《ちがみ》も満面《まんめん》の笑顔《えがお》で桜田《さくらだ》に告《つ》げる。

「これで安心《あんしん》して、お客《きゃく》さんにあの屋敷《やしき》をすすめることができるね。桜田《さくらだ》くん、じゃんじゃん営業《えいぎょう》してよ」

「あ、はいっ！　まかせてください」

そこに、出前《でまえ》の特上天丼《とくじょうてんどん》が届《とど》き、健太《けんた》たちはごちそうになった。

「最高《さいこう》～っ！　まさしく、特上《とくじょう》の味《あじ》だぁ」

健太《けんた》は興奮《こうふん》して、大《おお》きなエビの天《てん》ぷらにガブリとかじりつき、ご飯《はん》をガツガツかきこんだ。

そこへ、スマートフォンの着信音《ちゃくしんおん》がする。

桜田《さくらだ》は会釈《えしゃく》しながら、席《せき》を立《た》って電話《でんわ》に出《で》た。

「どうも、地神不動産《ちがみふどうさん》の桜田《さくらだ》っす！　ああ、いつもお世話《せわ》になっております～」

元気《げんき》よく、電話《でんわ》に応対《おうたい》する桜田《さくらだ》。

「やめてくださいよ。

冗談《じょうだん》っすよね……。え、マジっすか」

大《おお》きなエビの天《てん》ぷらを頬張《ほおば》っていた健太《けんた》だが、うしろで話《はな》す桜田《さくらだ》の声《こえ》が、だんだんと深刻《しんこく》みを帯《お》びてくるのに気《き》づく。

美希《みき》や地神《ちがみ》も、不穏《ふおん》な空気《くうき》を察《さっ》して、桜田《さくらだ》を見《み》た。

真実《しんじつ》だけはマイペースに、天丼《てんどん》の味《あじ》をかみしめている。

「……ごま油《あぶら》の香《かお》りが実《じつ》にいい。揚《あ》げ具合《ぐあい》も絶品《ぜっぴん》だ」

電話《でんわ》の応対《おうたい》をする桜田《さくらだ》が、信《しん》じられない言葉《ことば》を放《はな》つ。

「……地神不動産《ちがみふどうさん》の物件《ぶっけん》で、怪奇現象《かいきげんしょう》ですか??」

健太《けんた》はポカンと口《くち》をあけたまま、丼《どんぶり》と箸《はし》を置《お》いた。

(え……また、どこかの物件《ぶっけん》で怪奇現象《かいきげんしょう》が起《お》きたの??)

I

SCIENCE TRICK DATA FILE

科学《かがく》トリック データファイル

夢《ゆめ》が見《み》られるレム睡《すい》眠《みん》

人間《にんげん》が夢《ゆめ》を見《み》る理由《りゆう》ははっきりとはわかっていませんが、いつ夢《ゆめ》を見《み》るのかについてはわかっています。

人間《にんげん》やイヌ、ゾウなどの哺《ほ》乳《にゅう》類《るい》と、一部《いちぶ》の鳥類《ちょうるい》や爬虫類《はちゅうるい》は、寝《ね》ている間《あいだ》に「レム睡眠《すいみん》」と「ノンレム睡眠《すいみん》」という2種類《しゅるい》の睡眠《すいみん》

レム睡眠《すいみん》

健康《けんこう》な人《ひと》をレム睡眠《すいみん》中《ちゅう》に起《お》こすと約《やく》80%の割合《わりあい》で夢《ゆめ》を見《み》ていたという。寝《ね》た直後《ちょくご》はノンレム睡眠《すいみん》で、その後《ご》レム睡眠《すいみん》になる。ノンレム－レム睡眠《すいみん》の周《しゅう》期《き》は90～120分《ぷん》ほど。

を繰《く》り返《かえ》しています。レム睡眠《すいみん》中《ちゅう》は眼球《がんきゅう》がすばやく動《うご》いていて、心臓《しんぞう》の動《うご》きや呼吸《こきゅう》は不規則《ふきそく》になっています。このレム睡眠《すいみん》のときに、夢《ゆめ》を見《み》るのです。ノンレム睡眠中《すいみんちゅう》は心臓《しんぞう》の動《うご》きや呼吸《こきゅう》が落《お》ち着《つ》いていて、脳《のう》も休《やす》んでいます。レム睡眠《すいみん》の役割《やくわり》はよくわかっていませんが、レム睡眠《すいみん》があることでノンレム睡眠《すいみん》の質《しつ》がよくなるという研究結果《けんきゅうけっか》もあります。

ノンレム睡眠《すいみん》

哺乳類《ほにゅうるい》や鳥類《ちょうるい》など脳《のう》が発達《はったつ》した動物《どうぶつ》にみられる睡眠《すいみん》で「進化《しんか》した眠《ねむ》り」とも。ノンレム睡眠中《すいみんちゅう》には成長《せいちょう》ホルモンがたくさん出《で》たり、記憶《きおく》を頭《あたま》のなかに定着《ていちゃく》させたりしている。

恐《きょう》怖《ふ》の館《やかた》2

廃《はい》図《と》書《しょ》館《かん》

〜鏡《かがみ》の中《なか》に
ひそむ幽《ゆう》霊《れい》

ある日《ひ》の放課後《ほうかご》。

真実《しんじつ》、健太《けんた》、美希《みき》の3人《にん》は地神社長《ちがみしゃちょう》に招《まね》かれ、地神不動産《ちがみふどうさん》を訪《おとず》れた。

「こちらが先日《せんじつ》、電話《でんわ》をくださった紙野文彦《かみのふみひこ》さんだよ。聞《き》いてもらいたい話《はなし》があるそうなんだ」

地神社長《ちがみしゃちょう》が手《て》をかざした先《さき》に、七三分《しちさんわ》けで眼鏡《めがね》をかけた男《おとこ》が座《すわ》っていた。

ややふっくらした体形《たいけい》……。年《とし》のころは30歳《さい》くらいだろうか。

「怪奇現象《かいきげんしょう》を見《み》られたそうですね。一体何《いったいなに》を見《み》たんですか？」

真実《しんじつ》が聞《き》くと、文彦《ふみひこ》は青《あお》ざめた顔《かお》に浮《う》かんだ汗《あせ》をハンカチでぬぐった。

「……幽霊《ゆうれい》がいたんだ。鏡《かがみ》の中《なか》に幽霊《ゆうれい》が……」

「鏡《かがみ》の中《なか》……!?」

思《おも》わず健太《けんた》が声《こえ》をあげる。桜田《さくらだ》が古《ふる》い鍵《かぎ》を取《と》り出《だ》して言《い》った。

「これっす。ウチで管理《かんり》してる『花森《はなもり》にじいろ図書館《としょかん》』。3日前《みっかまえ》の夜《よる》、中《なか》を見《み》たいって言《い》うから、鍵《かぎ》だけ渡《わた》したっす。自分《じぶん》、用事《ようじ》がありましたから」

「『花森《はなもり》にじいろ図書館《としょかん》』って、町《まち》はずれにあった図書館《としょかん》でしょ？

真《ま》ん中《なか》が3階《かい》まで吹《ふ》き抜《ぬ》けになっていてまるで本棚《ほんだな》で作《つく》った塔《とう》みたいな建物《たてもの》でしたよね。どうしてそんな物件《ぶっけん》を見《み》に行《い》ったんですか？　たしか、ご夫婦《ふうふ》が運営《うんえい》していたけど、20年《ねん》くらい前《まえ》に閉館《へいかん》して廃墟《はいきょ》になっていたはずですよね？」

美希《みき》が聞《き》くと、文彦《ふみひこ》はコクリとうなずいた。

「小《ちい》さいころ、毎日通《まいにちかよ》ってたんです。近所《きんじょ》の家《いえ》から寄付《きふ》された古《ふる》い本《ほん》や、珍《めずら》しい本《ほん》がたくさんあって大好《だいす》きな場所《ばしょ》でした。だから、なんとか復活《ふっかつ》させたいと思《おも》って……」

「わあ、すごく素敵《すてき》な計画《けいかく》！」

美希《みき》は目《め》を輝《かがや》かせたが、文彦《ふみひこ》は震《ふる》える声《こえ》で続《つづ》けた。

「それがまさか、あんな恐《おそ》ろしいことが起《お》きるだなんて……」

七三分《しちさんわ》け
髪《かみ》の毛《け》を左右《さゆう》に、おおよそ七《なな》対三《たいさん》の割合《わりあい》で分《わ》ける髪型《かみがた》。

暗闇《くらやみ》の中《なか》、文彦《ふみひこ》は「花森《はなもり》にじいろ図書館《としょかん》」を見上《みあ》げていた。
かすかな月明《つきあ》かりが、闇《やみ》の中《なか》に不思議《ふしぎ》なシルエットを浮《う》かび上《あ》がらせている。
不規則《ふきそく》に波打《なみう》った壁《かべ》のライン。キノコのように丸《まる》くたれ下《さ》がった屋根《やね》。
まるで、子《こ》どもが粘土《ねんど》で作《つく》った妖精《ようせい》の家《いえ》のようだった。
「なつかしいな、昔《むかし》のままだ……」
文彦《ふみひこ》はうれしそうにつぶやくと、さしこんだ鍵《かぎ》を回《まわ》した。

ギ〜〜。

図書館《としょかん》の中《なか》は、静寂《せいじゃく》と暗闇《くらやみ》に包《つつ》まれていた。
取《と》り出《だ》した懐中電灯《かいちゅうでんとう》をつけると、ほこりをかぶった本棚《ほんだな》が浮《う》かび上《あ》がった。
「おお……！　本棚《ほんだな》も変《か》わってない」
しかし、どこか様子《ようす》がおかしい。誰《だれ》かにじっと見《み》られている気《き》がするのだ。
文彦《ふみひこ》は振《ふ》り返《かえ》り、壁《かべ》を懐中電灯《かいちゅうでんとう》で照《て》らした。
そこには……壁一面《かべいちめん》、無数《むすう》の鏡《かがみ》が飾《かざ》られていた。

暗闇《くらやみ》の中《なか》、鏡《かがみ》に映《うつ》った自分《じぶん》と目《め》が合《あ》い、文彦《ふみひこ》はゾッとした。

「どうしてこんなに鏡《かがみ》が……!? 昔《むかし》はなかったはずだが……」

文彦《ふみひこ》はゴクリとつばをのみ込《こ》むと、おそるおそる進《すす》み始《はじ》めた。

やがて広《ひろ》い空間《くうかん》に出《で》た。吹《ふ》き抜《ぬ》けになっていて、2階《かい》に並《なら》ぶ本棚《ほんだな》も見渡《みわた》せる。

そのとき、文彦《ふみひこ》の耳《みみ》にかすかな音《おと》が聞《き》こえた。

バタバタバタバタ……。

それは、子《こ》どもが室内《しつない》を駆《か》け回《まわ》る足音《あしおと》のようだった。

「誰《だれ》かいるのか!?」

懐中電灯《かいちゅうでんとう》で照《て》らすと、壁《かべ》を覆《おお》う無数《むすう》の鏡《かがみ》が光《ひかり》を反射《はんしゃ》した。

しかし、人《ひと》の姿《すがた》はない。

そう叫《さけ》んだ瞬間《しゅんかん》、あることに気《き》がついた。
壁《かべ》に飾《かざ》られた無数《むすう》の鏡《かがみ》……その中《なか》に、不思議《ふしぎ》な鏡《かがみ》があることに。
ほかの鏡《かがみ》と同《おな》じように本棚《ほんだな》は映《うつ》っているのに、自分《じぶん》の姿《すがた》だけが映《うつ》っていない。

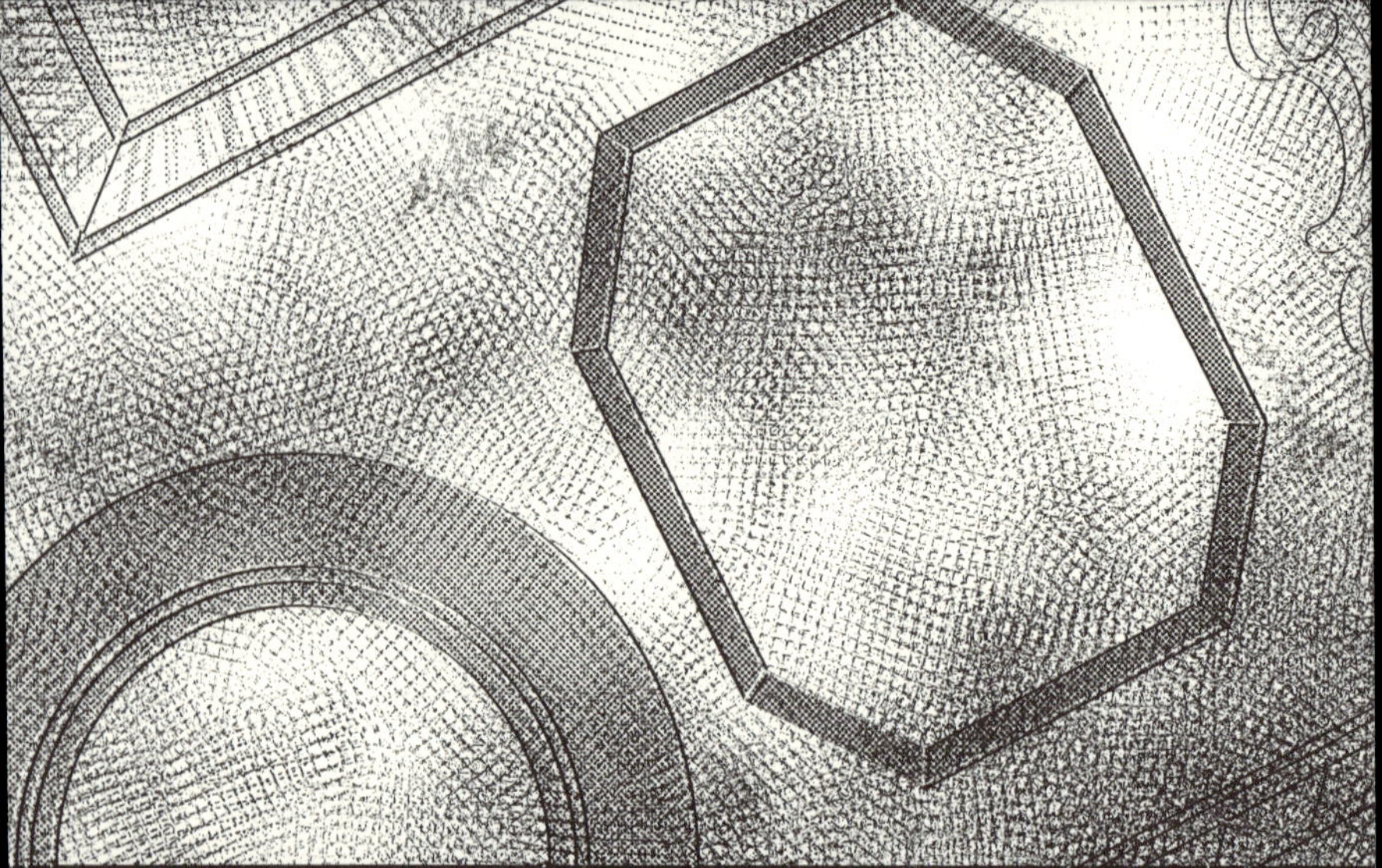

「そんな、バカな……!?」

震《ふる》える足《あし》で鏡《かがみ》に近《ちか》づこうとした瞬間《しゅんかん》。

ガバッ!!

鏡《かがみ》の中《なか》に恐《おそ》ろしいものが姿《すがた》を現《あらわ》した。

それは、逆《さか》さにつるされた子《こ》どもの上半身《じょうはんしん》だった。

その子《こ》は、鏡《かがみ》の中《なか》から文彦《ふみひこ》をギョロリと見《み》つめると、不気味《ぶきみ》な声《こえ》で叫《さけ》んだ。

「こっちにおいで……」

文彦《ふみひこ》は叫《さけ》び声《ごえ》をあげると、あわててその場《ば》から逃《に》げ出《だ》した。

文彦《ふみひこ》の体験談《たいけんだん》に、地神不動産《ちがみふどうさん》の空気《くうき》は凍《こお》りついていた。

「……信《しん》じられないね。まさか、あのうわさは本当《ほんとう》だったのか……⁉」

地神《ちがみ》が大《おお》きなため息《いき》をつくと、真実《しんじつ》がたずねた。

「何《なに》か心当《こころあ》たりでも？」

「いや……、20年《ねん》も前《まえ》の話《はなし》なんだけど、あの図書館《としょかん》のお宅《たく》の息子《むすこ》さんが病気《びょうき》で亡《な》くなってね。それ以来《いらい》、ご両親《りょうしん》は図書館《としょかん》を閉鎖《へいさ》して、壁《かべ》に無数《むすう》の鏡《かがみ》を飾《かざ》り始《はじ》めたんだ」

「鏡《かがみ》を？　どうして？」

健太《けんた》が首《くび》をかしげる。

「ほら、合《あ》わせ鏡《かがみ》は霊界《れいかい》とつながるなんていわれてるだろう？　ご両親《りょうしん》はなんとしてでも、亡《な》くなった息子《むすこ》さんに会《あ》いたかったんじゃないのかねぇ」

「で、そのご両親《りょうしん》は今《いま》どちらに？」

真実《しんじつ》が聞《き》くと、地神《ちがみ》は困《こま》ったように首《くび》を左右《さゆう》に振《ふ》った。

「それが、10年《ねん》ほど前《まえ》から連絡《れんらく》が取《と》れなくてね。行方《ゆくえ》がわからないんだよ」

その言葉《ことば》に、健太《けんた》は背筋《せすじ》がゾッとした。

「行方不明《ゆくえふめい》!?　ねぇ、鏡《かがみ》の中《なか》の幽霊《ゆうれい》、こっちにおいでって言《い》ったんだよね？　まさか、お父《とう》さんとお母《かあ》さんも鏡《かがみ》の中《なか》に引《ひ》き込《こ》まれちゃったのかも!?」

健太《けんた》の言葉《ことば》に、地神《ちがみ》がゆっくりとうなずく。

合《あ》わせ鏡《かがみ》
自分《じぶん》のうしろ姿《すがた》などを見《み》るために、前《まえ》に立《た》てた鏡《かがみ》にうしろの鏡《かがみ》からもう一枚《いちまい》の鏡《かがみ》で映《うつ》してみること。鏡《かがみ》の角度《かくど》によっては、鏡《かがみ》の中《なか》に何枚《なんまい》も鏡《かがみ》が映《うつ》り込《こ》む。

「そう、それがあの物件《ぶっけん》に関《かん》する古《ふる》いうわさ話《ばなし》だよ」

「そんなうわさが広《ひろ》まったら大変《たいへん》っす！　そんな問題物件《もんだいぶっけん》、誰《だれ》にも貸《か》せないっすよ！　そしたら、建物《たてもの》を壊《こわ》すしかなくなるっす……！」

桜田《さくらだ》が言《い》うと、文彦《ふみひこ》はあわてて机《つくえ》に手《て》をつき、頭《あたま》を下《さ》げた。

「ぼくはあの物件《ぶっけん》を借《か》りて『花森《はなもり》にじいろ図書館《としょかん》』を復活《ふっかつ》させたいんです。謎野《なぞの》さん、お願《ねが》いします。あの場所《ばしょ》には幽霊《ゆうれい》なんていないことを証明《しょうめい》してください！」

そのとき、室内《しつない》に聞《き》きなれない声《こえ》が響《ひび》いた。

「悪《わる》いけど、その必要《ひつよう》はないわ」

みんなが振《ふ》り向《む》くと、入《い》り口《ぐち》に一人《ひとり》の女性《じょせい》が立《た》っていた。

黒《くろ》いサングラスに、黒《くろ》い革《かわ》のコートという大人《おとな》っぽいいでたち。

しかし、耳元《みみもと》でクルンとカールした髪《かみ》には少女《しょうじょ》のような幼《おさな》さが漂《ただよ》っている。

「すみませんが、どちら様《さま》かな？」

地神《ちがみ》が声《こえ》をかけると、女性《じょせい》はサングラスを外《はず》した。

現《あらわ》れたのは、目《め》じりが凛《りん》とつり上《あ》がった大《おお》きな瞳《ひとみ》だ。

「私《わたし》の名前《なまえ》は、出次田《でじた》ルミ。お話《はなし》は聞《き》かせてもらったわ。その古《ふる》い図書館《としょかん》、私《わたし》もぜひお借《か》りしたいの。私《わたし》なら調査《ちょうさ》なんて手間《てま》は必要《ひつよう》ない。幽霊《ゆうれい》がいようがいまいが、今《いま》の状態《じょうたい》のままで借《か》りさせていただくわ」

ルミの言葉《ことば》に、文彦《ふみひこ》がガバッと席《せき》を立《た》つ。

「後《あと》からやってきたのに失礼《しつれい》だな！　この物件《ぶっけん》は、ぼくが先《さき》に交渉《こうしょう》してるんだ」

ルミはツンとあごをあげると、笑《え》みを浮《う》かべて文彦《ふみひこ》に近《ちか》づいた。

「あなた、図書館《としょかん》を復活《ふっかつ》させたいとか？　でも、どうかしら？　今《いま》の時代《じだい》、図書館《としょかん》なんかに子《こ》どもたちが集《あつ》まると思《おも》う？　みんな家《いえ》で好《す》きな動画《どうが》が見《み》られて、自由《じゆう》にゲームもできるのに？　はっきり言《い》って、時代遅《じだいおく》れのアイディアね」

文彦《ふみひこ》は顔《かお》を真《ま》っ赤《か》にして、頬《ほお》をプルプルと震《ふる》わせた。

「図書館《としょかん》が時代遅《じだいおく》れだって⁉　それならキミは、あの場《ば》所《しょ》を借《か》りて何《なに》をするつもりなんだい⁉」

「私《わたし》は、デジタル・ライブラリーをつくりたいの」

意外《いがい》な言葉《ことば》に、文彦《ふみひこ》は目《め》をパチクリさせた。

「つまりバーチャル図書館《としょかん》ね。データ化《か》した本《ほん》をパソコンやスマホで借《か》りられる。遠《とお》くて図書館《としょかん》に行《い》けない子《こ》でも、好《す》きな本《ほん》を、好《す》きなときに好《す》きな場《ば》所《しょ》で読《よ》めるの」

「バーチャルだって？　それなら建物《たてもの》は必要《ひつよう》ないはずだろ？」

文彦《ふみひこ》が言《い》い返《かえ》すと、ルミはため息《いき》をついた。

「わかってないわね。データ化《か》するにはたくさんの本《ほん》が必要《ひつよう》なの。だ

バーチャル（空間《くうかん》）　実体《じったい》をともなわないが、実体《じったい》を扱《あつか》っているのと同《おな》じような感《かん》覚《かく》を得《え》られる空間《くうかん》のこと。

から、倉庫《そうこ》として本《ほん》を置《お》いておける、広《ひろ》い物件《ぶっけん》を探《さが》してたのよ」

「正気《しょうき》かい!?　あんな素敵《すてき》な建物《たてもの》を倉庫《そうこ》にするだなんて！　だいたい、デジタルの本《ほん》なんて味気《あじけ》ない。紙《かみ》の本《ほん》はただのデータじゃない、香《かお》りやぬくもりがあるんだ！」

だが、ルミも黙《だま》ってはいない。

「香《かお》りやぬくもりなんて、いつか消《き》えちゃうわ。けれどデータは永遠《えいえん》、そして無限《むげん》。一冊《いっさつ》しかない本《ほん》を取《と》り合《あ》う心配《しんぱい》もない。データのほうが便利《べんり》で安心《あんしん》よ」

「うむむむ……」

「あ～……真実《しんじつ》くん、なんとかならない!?　この2人《ふたり》」

健太《けんた》がつつくと、真実《しんじつ》は小《ちい》さくため息《いき》をついて立《た》ち上《あ》がった。

「まずは幽霊《ゆうれい》がいるかどうか調《しら》べてみましょう。科学《かがく》で解《と》けないナゾはありません」

「ありがとう、謎野《なぞの》くん！　恩《おん》に着《き》るよ！」

真実《しんじつ》の手《て》を取《と》る文彦《ふみひこ》を見《み》つめ、ルミは不敵《ふてき》にほほ笑《え》んだ。

「私《わたし》も一緒《いっしょ》に行《い》くわ、探偵《たんてい》さん。もしもあなたが幽霊《ゆうれい》のナゾを解《と》けなかったら、この訳《わけ》あり物件《ぶっけん》、私《わたし》が貸《か》してもらうわよ。もちろん、超格安価格《ちょうかくやすかかく》でね」

帰《かえ》り道《みち》、真実《しんじつ》たち3人《にん》は商店街《しょうてんがい》にある「花森《はなもり》モリモリカレー」に寄《よ》った。

注文《ちゅうもん》したカレーを待《ま》つ間《あいだ》、健太《けんた》が心配《しんぱい》そうにつぶやく。

「真実《しんじつ》くん。紙野《かみの》さんの話《はなし》、ほんとに本物《ほんもの》の幽霊《ゆうれい》じゃないのかな？」

「おそらくね。これは勘《かん》だけど、図書館《としょかん》の鏡《かがみ》に秘密《ひみつ》が隠《かく》されている気《き》がするんだ」

そう言《い》って真実《しんじつ》は、カレー用《よう》のスプーンを手《て》に取《と》った。

スプーンの背中側《せなかがわ》……卵《たまご》の殻《から》のようにカーブした面《めん》に、3人《にん》の姿《すがた》が映《うつ》っている。

「こういう形《かたち》の鏡《かがみ》は凸面鏡《とつめんきょう》といってね。表面《ひょうめん》がカーブしているから、普通《ふつう》の鏡《かがみ》よりも、周《まわ》りの景色《けしき》を広《ひろ》く反射《はんしゃ》することができるんだ」

「そういえば、道路《どうろ》のカーブミラーの鏡《かがみ》もこの形《かたち》よね」

美希《みき》の言葉《ことば》にうなずくと、真実《しんじつ》はスプーンを裏返《うらがえ》した。

スプーンの内側《うちがわ》……今度《こんど》はへこんだ面《めん》に、3人《にん》が上下左右逆《じょうげさゆうさか》さまに

凸面鏡《とつめんきょう》
反射面《はんしゃめん》がふくらんでいる鏡《かがみ》。広《ひろ》い範囲《はんい》を映《うつ》すことができるので、カーブミラーや自動車《じどうしゃ》のサイドミラーなどに使《つか》われる。

なって映《うつ》った。

「**あっ！　みんな逆《さか》さまだ！**」

健太《けんた》が声《こえ》をあげる。

「こんなふうに表面《ひょうめん》がへこんだ鏡《かがみ》は凹面鏡《おうめんきょう》。カーブで反射《はんしゃ》する光《ひかり》の角《かく》度《ど》が変《か》わるから、目《め》に届《とど》く像《ぞう》が逆《さか》さに見《み》えるんだ。覚《おぼ》えているかい？」

「※そういえば、凹面鏡《おうめんきょう》ってそんな性質《せいしつ》があったね！」

鏡《かがみ》がうつるしくみ

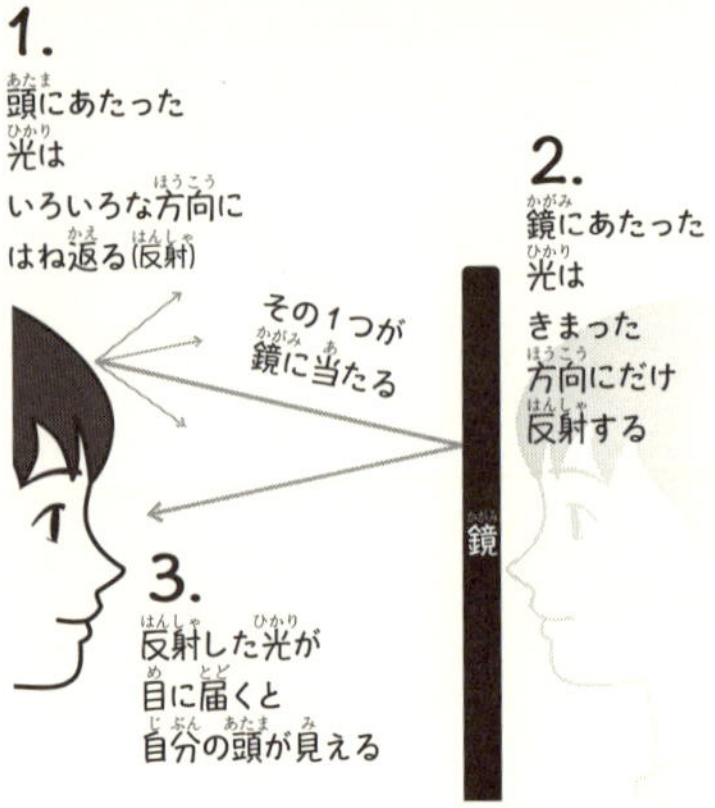
1.
頭《あたま》にあたった
光《ひかり》は
いろいろな方向《ほうこう》に
はね返《かえ》る(反射《はんしゃ》)
2.
鏡《かがみ》にあたった
光《ひかり》は
きまった
方向《ほうこう》にだけ
反射《はんしゃ》する
その1つが
鏡《かがみ》に当《あ》たる
鏡《かがみ》
3.
反射《はんしゃ》した光《ひかり》が
目《め》に届《とど》くと
自分《じぶん》の頭《あたま》が見《み》える

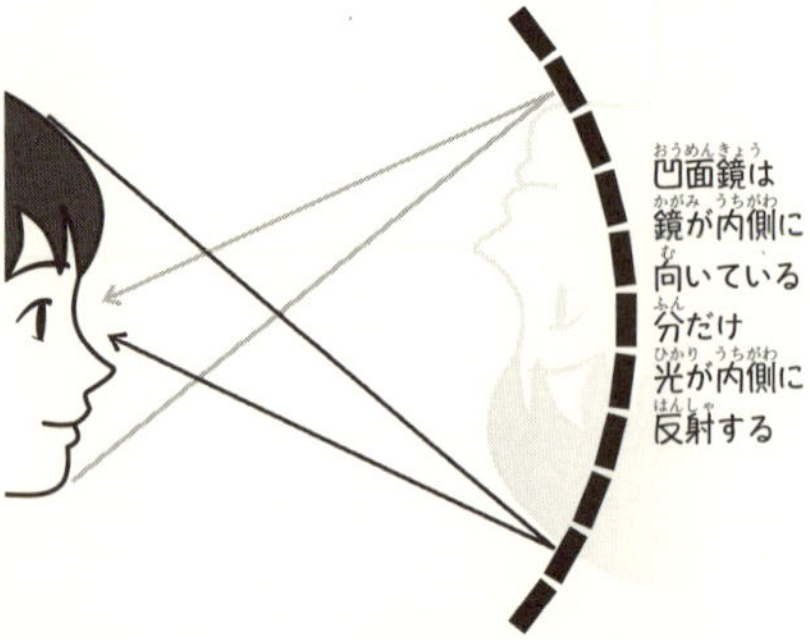
凹面鏡《おうめんきょう》は
鏡《かがみ》が内側《うちがわ》に
向《む》いている
分《ぶん》だけ
光《ひかり》が内側《うちがわ》に
反射《はんしゃ》する

凹面鏡《おうめんきょう》　スプーンのように真《ま》ん中《なか》がへこんでいる鏡《かがみ》。あたった光《ひかり》は内側《うちがわ》に反射《はんしゃ》するので光《ひかり》を集《あつ》めることにもつかわれる。

※『科学探偵《かがくたんてい》vs.呪《のろ》いの修学旅行《しゅうがくりょこう》』参照《さんしょう》

健太《けんた》が大《おお》きくうなずくと、真実《しんじつ》は眼鏡《めがね》の奥《おく》の目《め》を細《ほそ》めた。

「ぼくの推理《すいり》はこうだよ。鏡《かがみ》の中《なか》の幽霊《ゆうれい》は、鏡《かがみ》のトリックを使《つか》った誰《だれ》かのいたずらなんじゃないかって」

「えっ！　いたずら!?　でも一体誰《いったいだれ》が何《なん》のために!?」

健太《けんた》と美希《みき》が同時《どうじ》に声《こえ》をあげたとき、真《ま》っ赤《か》なカレーが運《はこ》ばれてきた。

みんなで人気《にんき》メニューの「激辛《げきから》10倍《ばい》モリモリカレー」を頼《たの》んでみたのだ。

「図書館《としょかん》に行《い》けば、その答《こた》えがわかるかもしれない」

そう言《い》うと真実《しんじつ》は、涼《すず》しげな顔《かお》で真《ま》っ赤《か》なカレーを食《た》べ始《はじ》めた。

続《つづ》いて食《た》べた健太《けんた》と美希《みき》は、あまりの辛《から》さに叫《さけ》び声《ごえ》をあげた。

それから3日後《みっかご》の夜《よる》。

真実《しんじつ》たちは地神《ちがみ》と桜田《さくらだ》に案内《あんない》され、「花森《はなもり》にじいろ図書館《としょかん》」を訪《おとず》れた。

扉《とびら》の前《まえ》では、文彦《ふみひこ》とルミが早《はや》くも激《はげ》しく言《い》い合《あ》っていた。

「だから、この間見《あいだみ》た幽霊《ゆうれい》は見間違《みまちが》いだよ。きっと謎野《なぞの》くんが証明《しょうめい》してくれる」

「へ～え。じゃあもし本物《ほんもの》だったら今日《きょう》も逃《に》げて帰《かえ》るつもり？　そしたら遠慮《えんりょ》なく私《わたし》がこの建物《たてもの》を借《か》りられるわね」

桜田《さくらだ》はやれやれとため息《いき》をついて、真実《しんじつ》に鍵《かぎ》を渡《わた》した。

「じゃあこれ、ここの鍵《かぎ》っす。オレは別《べつ》の物件《ぶっけん》の案内《あんない》があるから帰《かえ》るっす」

桜田《さくらだ》が去《さ》ると、真実《しんじつ》は扉《とびら》に鍵《かぎ》をさしこんだ。

ガチャリ。

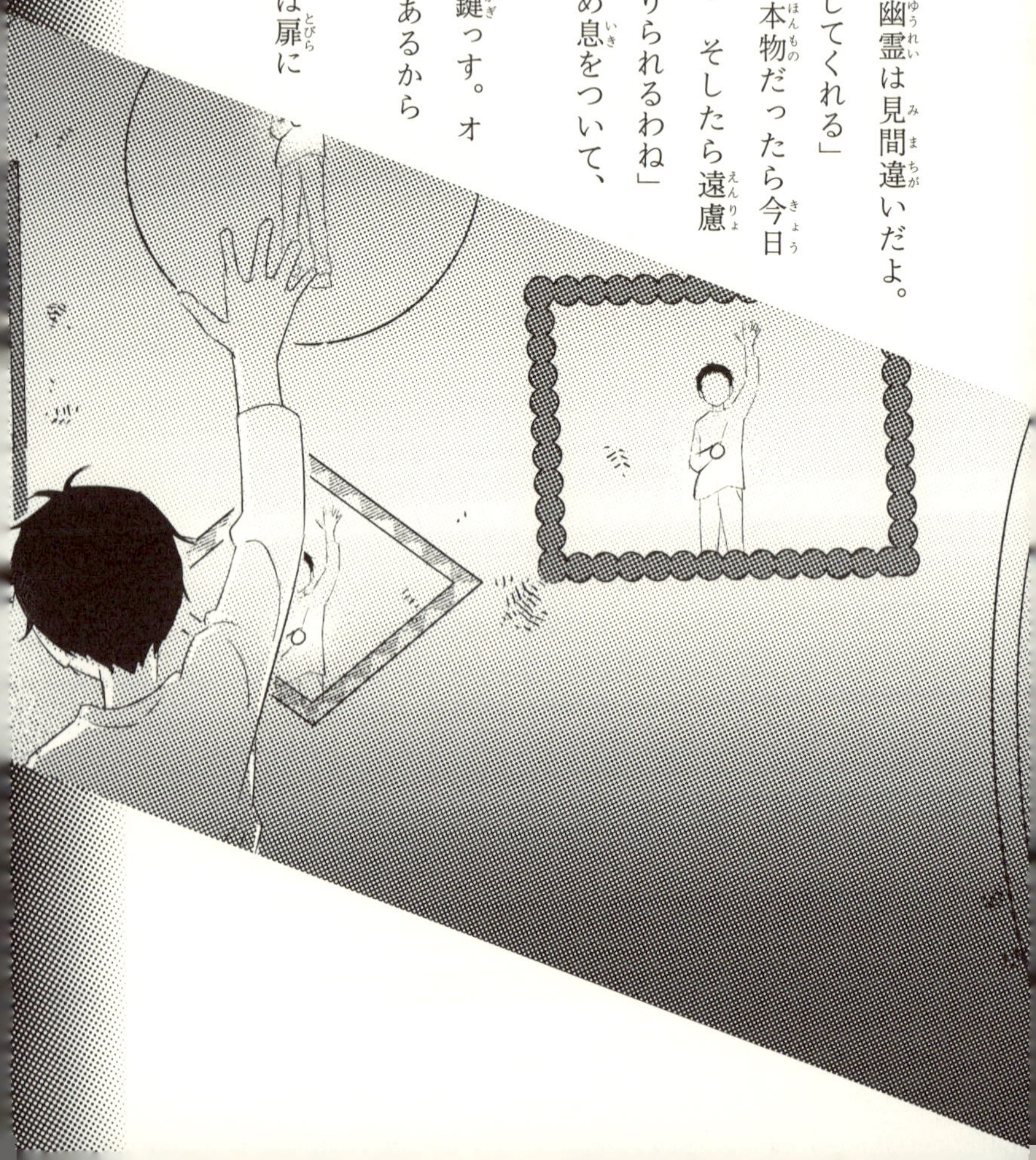

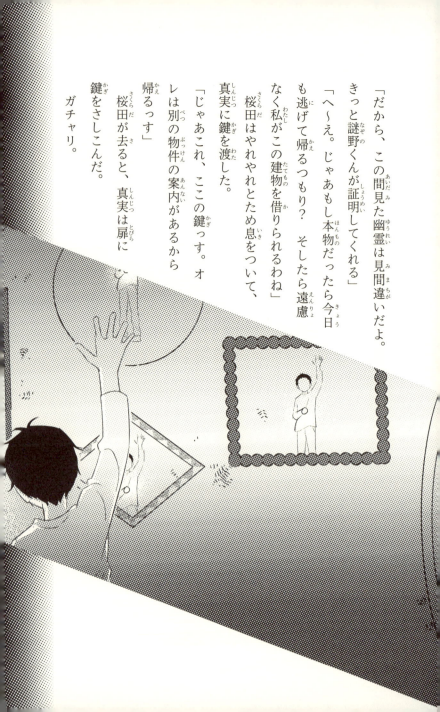

ギギ〜〜。

闇《やみ》に包《つつ》まれた室内《しつない》から、冷《つめ》たく、カビ臭《くさ》い空気《くうき》が流《なが》れ出《で》てくる。

真実《しんじつ》に続《つづ》いて、一行《いっこう》はおそるおそる室内《しつない》に足《あし》を踏《ふ》み入《い》れた。

「わわわっ！ 誰《だれ》かいるっ!?」

懐中電灯《かいちゅうでんとう》の光《ひかり》を壁《かべ》に向《む》けた健太《けんた》が、早速《さっそく》声《こえ》をあげる。

「落《お》ち着《つ》いて健太《けんた》くん。壁《かべ》の鏡《かがみ》に映《うつ》ったぼくらの姿《すがた》だよ」

文彦《ふみひこ》が落《お》ち着《つ》いた声《こえ》で言《い》う。

「そうだった！　それにしてもすごい数《かず》だなぁ。それじゃあ……ホイッ！」

鏡《かがみ》に向《む》かって右手《みぎて》をあげると、鏡《かがみ》に映《うつ》った無数《むすう》の健太《けんた》たちも右《みぎ》側《がわ》の手《て》をあげる。

「今度《こんど》はこっち、ホイ！」

左手《ひだりて》をあげると、鏡《かがみ》の中《なか》の健太《けんた》たちも左側《ひだりがわ》の手《て》をあげる。

「おもしろーい！　どの鏡《かがみ》もぼくのまねしてる！」

「そんなの当《あ》たり前《まえ》でしょ！　ふざけないでよ健太《けんた》くん！」

美希《みき》がそう言《い》った瞬間《しゅんかん》、健太《けんた》の動《うご》きが止《と》まった。

そして震《ふる》える指《ゆび》で、壁《かべ》にかかった古《ふる》い木《き》の枠《わく》の鏡《かがみ》を指《さ》した。

「あの鏡《かがみ》、なんだか変《へん》だよ……」

みんなはその鏡《かがみ》を見《み》つめた。

ほかの鏡《かがみ》に映《うつ》った健太《けんた》は、同《おな》じ側《がわ》の手《て》で鏡《かがみ》を指《ゆび》さしている。

しかし、木《き》の枠《わく》の鏡《かがみ》に映《うつ》った健太《けんた》だけ、逆側《ぎゃくがわ》の手《て》で指《ゆび》さしているのだ。

「あの鏡《かがみ》のぼくだけ反対《はんたい》だ……一体《いったい》どういうこと？」

健太《けんた》が左手《ひだりて》を口《くち》にあてると、ほかの鏡《かがみ》の健太《けんた》たちも同《おな》じ動《うご》きをした。

しかし、木《き》の枠《わく》の鏡《かがみ》に映《うつ》った健太《けんた》だけ、右側《みぎがわ》の手《て》を口《くち》にあてている。

「ウソでしょ……!?」

息《いき》をのむ美希《みき》の横《よこ》で、ルミが弾《はず》んだ声《こえ》をあげた。

「もしかして、さっそく幽霊《ゆうれい》のお出《で》ましかしら？」

「いいえ、きっと幽霊《ゆうれい》のせいじゃありません」

冷静《れいせい》な声《こえ》で真実《しんじつ》が言《い》うと、ルミの眉《まゆ》がピクリと動《うご》いた。

「へ～え。それじゃあ、この怪現象《かいげんしょう》をどうやって説明《せつめい》してくれるのかしら？」

「まだ断言《だんげん》はできませんが、『合《あ》わせ鏡《かがみ》』の可能性《かのうせい》が考《かんが》えられます」

「合《あ》わせ鏡《かがみ》だって？」

文彦《ふみひこ》が眉《まゆ》をひそめると、真実《しんじつ》はうなずいた。

「ええ。２枚《まい》の鏡《かがみ》を90度《ど》に合《あ》わせると、片方《かたほう》の鏡《かがみ》に映《うつ》った像《ぞう》が、もう片方《かたほう》の鏡《かがみ》に反射《はんしゃ》して、ぼくたちの目《め》には左右反対《さゆうはんたい》の像《ぞう》になって届《とど》くんです」

合《あ》わせ鏡《かがみ》

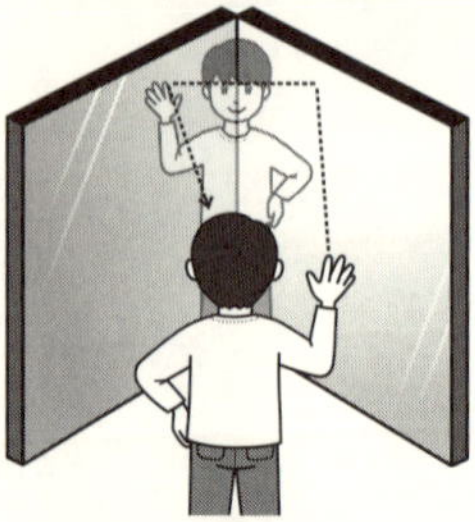

光《ひかり》が２回反射《かいはんしゃ》するので
普通《ふつう》の鏡《かがみ》の反対《はんたい》になる

普通《ふつう》の鏡《かがみ》

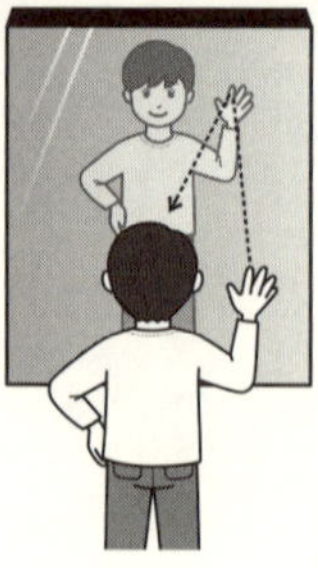

「なるほど、そういうわけか！」

文彦《ふみひこ》が納得《なっとく》してポンと手《て》をたたくと、健太《けんた》はホッと胸《むね》をなでおろした。

「それじゃ、幽霊《ゆうれい》のしわざじゃないってことだね！」

「どうかしら。合《あ》わせ鏡《かがみ》かどうかなんて、調《しら》べればすぐにわかることだわ」

そう言《い》うと、ルミはツカツカと壁《かべ》の鏡《かがみ》に近《ちか》づいた。

「あら!?　おかしいわね。合《あ》わせ鏡《かがみ》なんかじゃない。ふつうの1枚《まい》の鏡《かがみ》よ」

「なんだって!?」

文彦《ふみひこ》があわてて駆《か》け寄《よ》る。みんなもそれに続《つづ》いた。

見《み》ると、古《ふる》い木《き》の枠《わく》の鏡《かがみ》は、ルミの言《い》うとおり、ふつうの鏡《かがみ》だった。

そして、健太《けんた》がおそるおそる右手《みぎて》をあげると、鏡《かがみ》に映《うつ》った健太《けんた》も右側《みぎがわ》の手《て》をあげた。

「あれっ？　おかしいな。さっきはぼくと反対側《はんたいがわ》の手《て》をあげたのに……」

「探偵《たんてい》さんの推理《すいり》ははずれね。これでも幽霊《ゆうれい》のせいじゃないって言《い》えるのかしら？」

「ぐむむむ……」

くやしそうな文彦《ふみひこ》の隣《となり》で、真実《しんじつ》はルミの顔《かお》をじっと見《み》つめていた。

部屋《へや》の奥《おく》へと進《すす》む一行《いっこう》は、吹《ふ》き抜《ぬ》けのエリアにやってきた。

2階《かい》の柵《さく》はガラス製《せい》で、上《うえ》の階《かい》に並《なら》んだ本棚《ほんだな》がよく見《み》えるようになっていた。

「ここだ。ここで鏡《かがみ》の中《なか》に幽霊《ゆうれい》が現《あらわ》れたんだ」

壁《かべ》に飾《かざ》られた鏡《かがみ》を見渡《みわた》しながら、文彦《ふみひこ》がつぶやいたそのとき……。

バタバタバタバタバタ……。

誰《だれ》かが部屋《へや》を走《はし》り回《まわ》る音《おと》が響《ひび》いた。文彦《ふみひこ》の顔《かお》が恐怖《きょうふ》で凍《こお》りつく。

「この足音《あしおと》……この間《あいだ》と一緒《いっしょ》だ！」

「ひいい！　出《で》たぁ！　幽霊《ゆうれい》だぁ！」

健太《けんた》が叫《さけ》んだ次《つぎ》の瞬間《しゅんかん》、美希《みき》が壁《かべ》を指《ゆび》さした。

「見《み》て！　あの鏡《かがみ》！」

周《まわ》りの鏡《かがみ》には、真実《しんじつ》や文彦《ふみひこ》たちの姿《すがた》が映《うつ》っている。
しかし、美希《みき》が指《ゆび》さした鏡《かがみ》には、本棚《ほんだな》だけしか映《うつ》っていなかった。
鏡《かがみ》の正面《しょうめん》に立《た》つメンバーたちの姿《すがた》が、誰一人《だれひとり》映《うつ》っていないのだ。
「そんなバカな……こんなことありえない……！」
地神《ちがみ》が震《ふる》える声《こえ》で言《い》ったそのとき……。

ガバアッ!!

鏡《かがみ》の中《なか》に、逆《さか》さにつるされた子《こ》どもの上半身《じょうはんしん》が現《あらわ》れ、不気味《ぶきみ》な声《こえ》で叫《さけ》んだ。

「こっちにおいで……」

「わあああ！　鏡《かがみ》の世界《せかい》に引《ひ》き込《こ》まれちゃうよ～！」

恐怖《きょうふ》のあまり尻《しり》もちをついた健太《けんた》に、真実《しんじつ》が駆《か》け寄《よ》る。

「落《お》ち着《つ》いて、健太《けんた》くん！　これは幽霊《ゆうれい》のしわざなんかじゃない。必《かなら》ず科学《かがく》で説明《せつめい》ができるはずだよ」

その言葉《ことば》に、ルミがフンと鼻《はな》を鳴《な》らす。

「探偵《たんてい》さんの推理《すいり》があてにならないことは、さっき証明《しょうめい》ずみよ。悪《わる》いけど、自分《じぶん》の目《め》で鏡《かがみ》を調《しら》べさせてもらうわ」

言《い》うが早《はや》いか、ルミは鏡《かがみ》へと近《ちか》づいていく。

「鏡《かがみ》に手《て》を触《ふ》れちゃダメだ！」

真実《しんじつ》は止《と》めたが、ルミはお構《かま》いなしで鏡《かがみ》を調《しら》べ始《はじ》めた。

「ほーら、やっぱり。この鏡《かがみ》もふつうの鏡《かがみ》よ」

「なんだって!?」

文彦《ふみひこ》が驚《おどろ》いて鏡《かがみ》に駆《か》け寄《よ》る。真実《しんじつ》も健太《けんた》に手《て》を貸《か》し立《た》たせると、鏡《かがみ》へ歩《あゆ》み寄《よ》った。

のぞき込《こ》む文彦《ふみひこ》や真実《しんじつ》たちの姿《すがた》が映《うつ》り込《こ》む……それはふつうの鏡《かがみ》だった。

「さあ、探偵《たんてい》さんのご意見《いけん》をうかがおうかしら？」

不敵《ふてき》な笑《え》みを浮《う》かべ、ルミが言《い》う。

真実《しんじつ》はあごに手《て》をあて、じっと考《かんが》え込《こ》んでいる。

「謎野《なぞの》くん、どうだい⁉　何《なに》かわかったかい⁉」

文彦《ふみひこ》が期待《きたい》を込《こ》めて言《い》うと、真実《しんじつ》は静《しず》かに首《くび》を振《ふ》った。

「いや、わかりません。ただ……、出次田《でじた》さんが今調《いましら》べたこの鏡《かがみ》は、さっき幽霊《ゆうれい》が現《あらわ》れたものとは別《べつ》の鏡《かがみ》のように感《かん》じます」

「別《べつ》の鏡《かがみ》だって……？」

文彦《ふみひこ》が息《いき》をのむと、ルミは鼻《はな》で笑《わら》った。

「あらまあ、たいそうな推理《すいり》だこと。なら、その証拠《しょうこ》はあるの？」

「……」

真実《しんじつ》はルミの言葉《ことば》に、黙《だま》ったままだった。

ルミは勝《か》ち誇《ほこ》ったように大《おお》きく手《て》を広《ひろ》げると、文彦《ふみひこ》と地神《ちがみ》に言《い》った。

「ほーら。科学《かがく》で説明《せつめい》できないってことは、幽霊《ゆうれい》がいるってことよね？　約束《やくそく》どおり、この建物《たてもの》は私《わたし》が倉庫《そうこ》として貸《か》してもらうわよ、訳《わけ》ありの超格安価格《ちょうかくやすかかく》でね」

くやしいが、文彦《ふみひこ》は何《なに》も言《い》い返《かえ》すことができなかった。

そのとき……パシャリ！

シャッターの音《おと》が響《ひび》いた。

一同《いちどう》が顔《かお》をあげると、美希《みき》が鏡《かがみ》に向《む》かってカメラを構《かま》えていた。

「見《み》て見《み》て、真実《しんじつ》くん！　実《じつ》は私《わたし》、幽霊《ゆうれい》が現《あらわ》れたときの鏡《かがみ》の写真《しゃしん》を撮《と》ってたの。で、今《いま》も撮《と》ったわ。２枚《まい》の写真《しゃしん》を見比《みくら》べたら、何《なに》かわかるんじゃない？」

そう言《い》って、カメラのモニターを真実《しんじつ》に近《ちか》づけた。

「幽霊《ゆうれい》が現《あらわ》れたときの鏡《かがみ》」と「幽霊《ゆうれい》が消《き》えた後《あと》の鏡《かがみ》」の写真《しゃしん》。

２枚《まい》の写真《しゃしん》を見《み》つめる真実《しんじつ》の瞳《ひとみ》に、キラリと光《ひかり》が宿《やど》った。

「そうか……やはり思《おも》ったとおりだ！　ナゾはすべて解《と》けたよ」

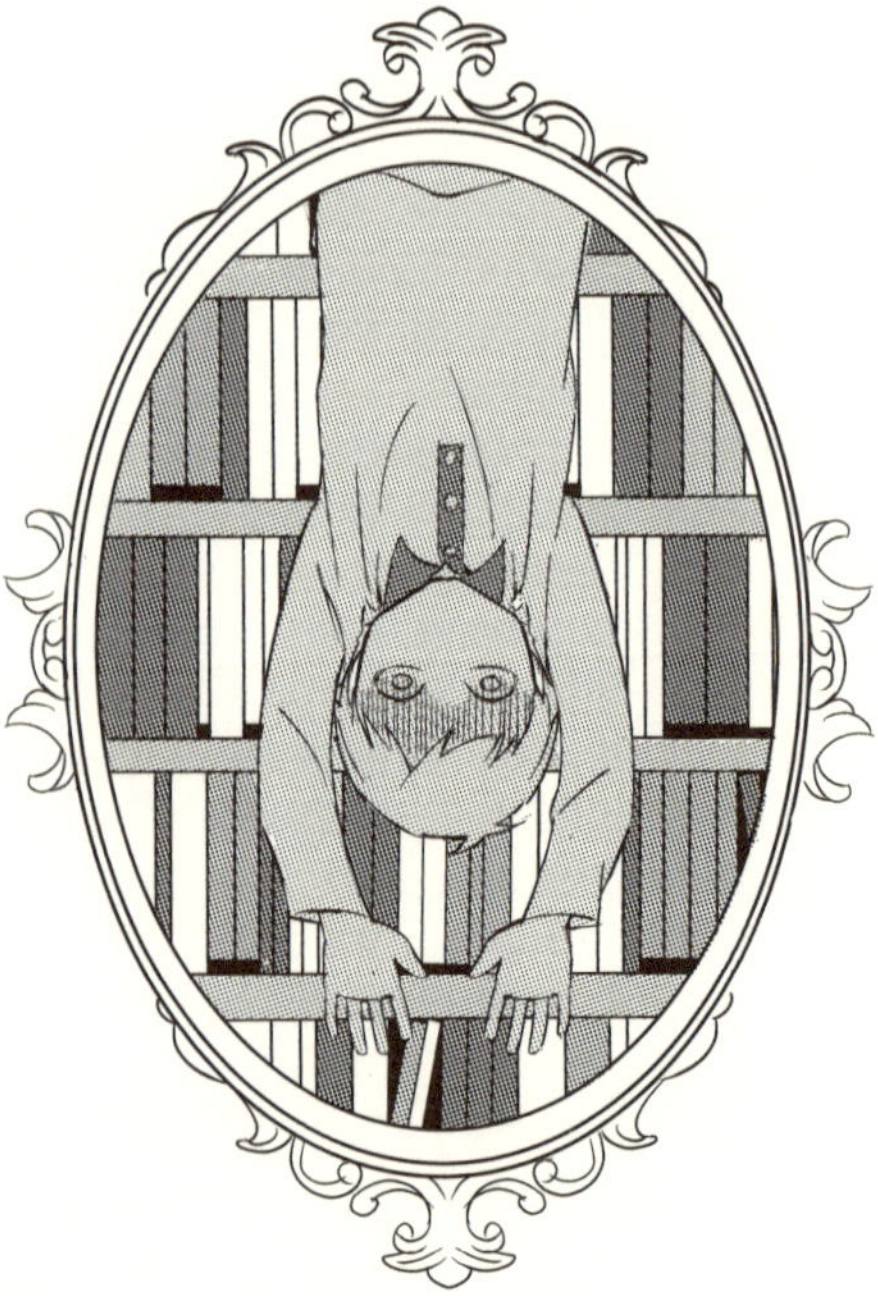

←幽霊《ゆうれい》が現《あらわ》れたときの写真《しゃしん》

「なんですって……!?」

ルミの顔色《かおいろ》がかすかに曇《くも》った。

「やっぱり幽霊《ゆうれい》なんていない。鏡《かがみ》はすり替《か》えられていたんだ。幽霊《ゆうれい》が現《あらわ》れたときの鏡《かがみ》は、凹面鏡《おうめんきょう》。そして、今《いま》はふつうの鏡《かがみ》になっている」

真実《しんじつ》の言葉《ことば》に、健太《けんた》は目《め》をパチクリさせた。

「え～と……凹面鏡《おうめんきょう》って、スプーンみたいにへこんだ形《かたち》をしてる鏡《かがみ》だよね？　映《うつ》ったものが上下左右《じょうげさゆう》反対《はんたい》に見《み》えるっていう。でも、どうしてそんなことがわかるの？」

→幽霊《ゆうれい》が消《き》えた後《あと》の写真《しゃしん》

「2枚《まい》の写真《しゃしん》をよく見比《みくら》べてごらん。違《ちが》いがわかるはずだよ」

真実《しんじつ》はそう言《い》って、カメラのモニターをみんなに向《む》けた。

2枚《まい》の写真《しゃしん》の違《ちが》いはどこにあるのか？

そして、鏡《かがみ》の中《なか》の幽霊《ゆうれい》のナゾの真相《しんそう》とは？

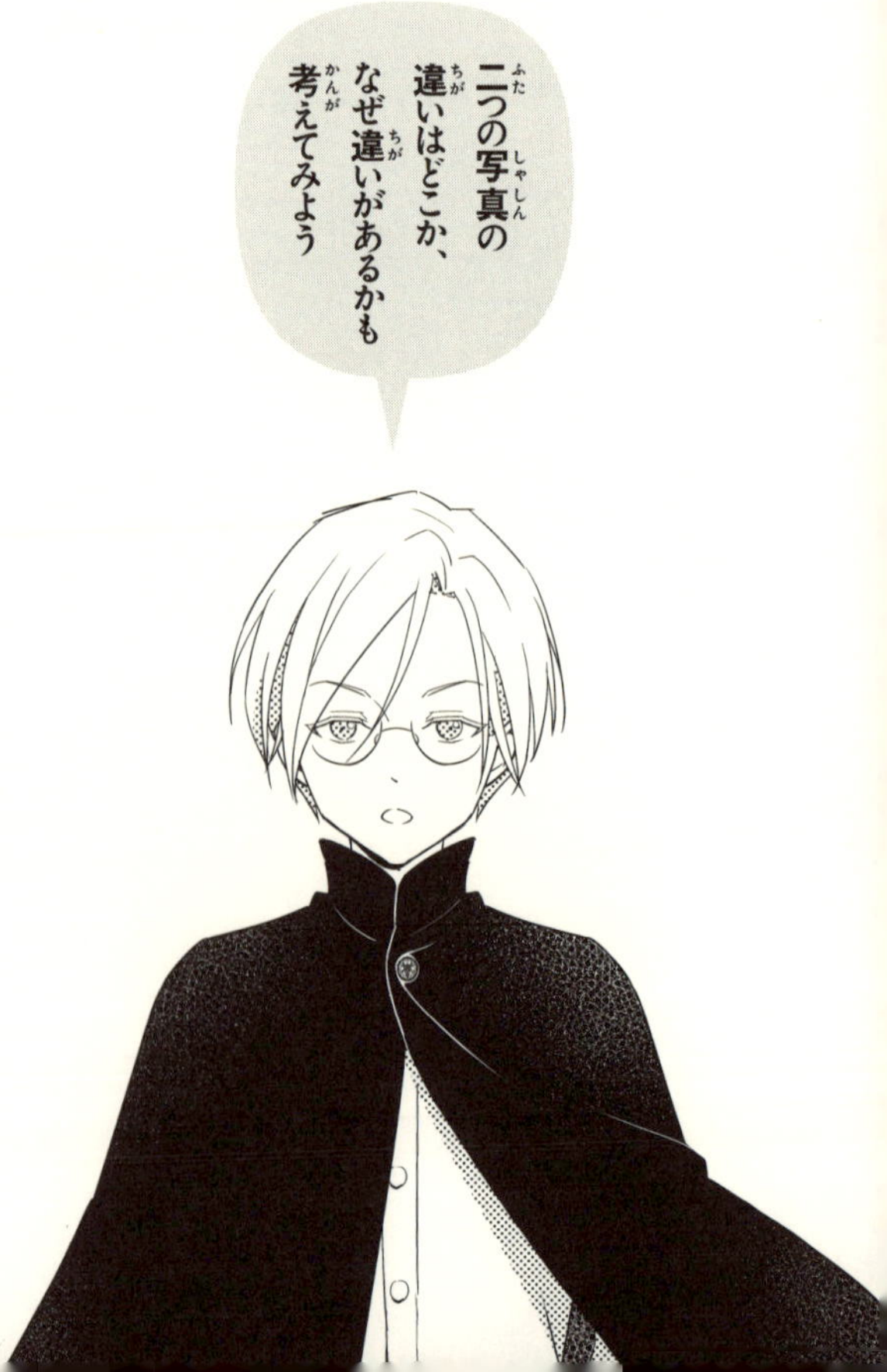
二《ふた》つの写真《しゃしん》の違《ちが》いはどこか、なぜ違《ちが》いがあるかも考《かん》えてみよう

解《かい》決《けつ》編《へん》

「2枚《まい》の写真《しゃしん》の違《ちが》いはここだよ」

そう言《い》うと真実《しんじつ》は、カメラのモニターに映《うつ》る写真《しゃしん》の「ある場所《ばしょ》」を指《ゆび》さした。

「うしろの本《ほん》棚《だな》に並《なら》ぶ本《ほん》さ」

「ええっ!? 本《ほん》!?」

健太《けんた》がカメラのモニターに顔《かお》を寄《よ》せる。

「あっ、わかった! 幽霊《ゆうれい》が映《うつ》ってる写真《しゃしん》のほうは、本《ほん》が宙《ちゅう》に浮《う》いてる!」

「そう。つまり、これは上下《じょうげ》が反転《はんてん》した画像《がぞう》……凹面鏡《おうめんきょう》に映《うつ》ったものなんだ」

その言葉《ことば》に、ルミがあわてて言《い》い返《かえ》す。

「それがなんだっていうの? じゃあなんで、その凹面鏡《おうめんきょう》には私《わたし》たちの姿《すがた》は映《うつ》らずに、幽霊《ゆうれい》だけが姿《すがた》を現《あらわ》したの? ちゃんと説明《せつめい》してほしいわね」

「それは簡単《かんたん》なトリックですよ」

真実《しんじつ》はそう言《い》うと、鏡《かがみ》がかけられた壁《かべ》の下《した》の床《ゆか》を見回《みまわ》した。

「ああ、あった。これです」

真実《しんじつ》が床《ゆか》から拾《ひろ》い上《あ》げたのは、ワインのコルク栓《せん》だった。

「コルク栓《せん》？　これが何《なに》よ？」

「気《き》がつきませんでしたか？　さっきあなたが鏡《かがみ》を調《しら》べたとき、床《ゆか》に落《お》ちたんです」

そう言《い》うと真実《しんじつ》は、鏡《かがみ》と壁《かべ》の間《あいだ》にコルク栓《せん》をはさんでみせた。

「こんなふうに、鏡《かがみ》の下《した》の部分《ぶぶん》にコルク栓《せん》がはさまっていたんですよ」

コルク栓《せん》の厚《あつ》みで鏡《かがみ》が傾《かたむ》き、上《うえ》を向《む》く。

それを見《み》た美希《みき》がうなずいた。

「そっか！　鏡《かがみ》が正面《しょうめん》じゃなくて、少《すこ》し上《うえ》を向《む》いていたから、鏡《かがみ》の正面《しょうめん》に立《た》っていた私《わたし》たちの姿《すがた》が映《うつ》らなかったのね！」

「そう。凹面鏡《おうめんきょう》に映《うつ》っていたのは1階《かい》の本棚《ほんだな》じゃない。2階《かい》の本棚《ほんだな》だったんだ」

コルク栓《せん》
コルク樫《がし》という木《き》の皮《かわ》から作《つく》られ、ワインの栓《せん》などに使《つか》われる。

「2階《かい》の本棚《ほんだな》だって⁉」

文彦《ふみひこ》は、吹《ふ》き抜《ぬ》けの空間《くうかん》を見上《みあ》げた。

「2階《かい》の本棚《ほんだな》の前《まえ》で、誰《だれ》かが幽霊《ゆうれい》の人形《にんぎょう》を下《した》から出《だ》した。それが、凹面鏡《おうめんきょう》の性質《せいしつ》で上下左右《じょうげさゆう》が反転《はんてん》して、幽霊《ゆうれい》が上《うえ》からつるされているように見《み》えたんです」

そう言《い》うと真実《しんじつ》は2階《かい》に駆《か》けあがった。

本棚《ほんだな》を調《しら》べると、本《ほん》の背表紙《せびょうし》が貼《は》り替《か》えられていた。

「きっと1階《かい》の本棚《ほんだな》と同《おな》じに見《み》えるよう、誰《だれ》かが細工《さいく》したんだ」

さらに、本《ほん》が散《ち》らばった部屋《へや》の隅《すみ》からは、幽霊《ゆうれい》の人形《にんぎょう》も見《み》つかった。

「やっぱり誰《だれ》かのいたずらだったんだね！」

健太《けんた》が怒《おこ》ったように言《い》うと、真実《しんじつ》は口元《くちもと》に手《て》をあてた。

凹面鏡《おうめんきょう》を少《すこ》し上《うえ》に傾《かたむ》けて置《お》く

「きっと、足音《あしおと》や子《こ》どもの声《こえ》も、何者《なにもの》かがスマートフォンか何《なに》かで音声《おんせい》を流《なが》していたんだ」

そう言《い》うと真実《しんじつ》は、階段《かいだん》を下《お》りて、幽霊《ゆうれい》が映《うつ》った鏡《かがみ》にゆっくりと近《ちか》づいた。

「最初《さいしょ》にあった『合《あ》わせ鏡《かがみ》』、そしてここにあったはずの『凹面鏡《おうめんきょう》』。

二《ふた》つの鏡《かがみ》を、普通《ふつう》の鏡《かがみ》にすり替《か》えたのは……」


「出次田《でじた》さん……あなたですね」


「何《なに》よ!?　一体何《いったいなに》を根拠《こんきょ》にそんなこと…」

「2枚《まい》とも最初《さいしょ》に触《ふ》れたのはあなただ。

その後《ご》、どちらもふつうの鏡《かがみ》になっていた」

「鏡《かがみ》をすり替《か》えるだなんて、そんな大《おお》きなもの、持《も》ち歩《ある》けるわけないでしょ!?」

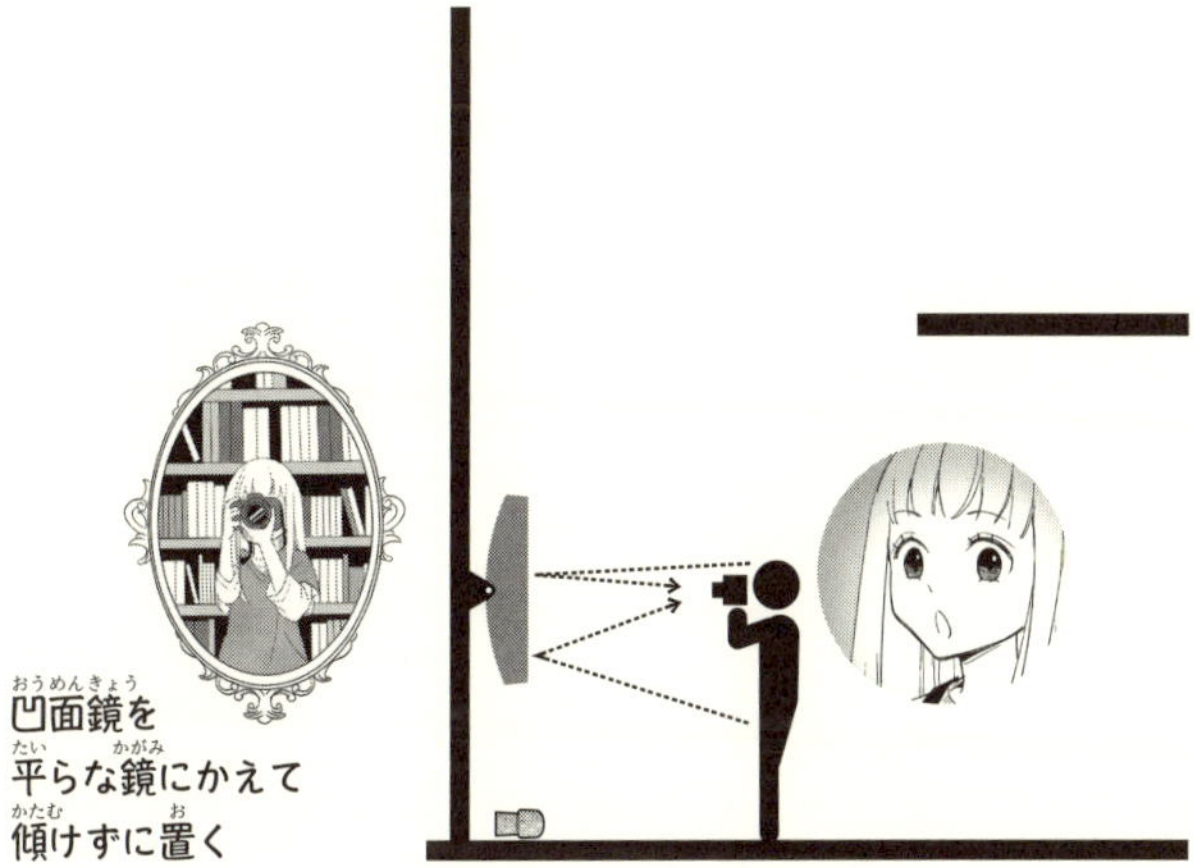

ルミはあきれたように大《おお》きく手《て》を広《ひろ》げてみせた。

「いいえ。大《おお》きさを自由《じゆう》に変《か》えられて、とても軽《かる》い鏡《かがみ》があるんですよ」

次《つぎ》の瞬間《しゅんかん》、真実《しんじつ》は壁《かべ》にかかっていた「幽霊《ゆうれい》が映《うつ》った鏡《かがみ》」の表面《ひょうめん》に手《て》をかけた。


バリバリバリ！


まるで薄《うす》いフィルムのような、銀色《ぎんいろ》のシートがはがれていく。

「フィルムミラーです。割《わ》れないし、軽量《けいりょう》、丸《まる》めることもできる。あなたはこれを隠《かく》し持《も》っていて、二《ふた》つの鏡《かがみ》の表面《ひょうめん》に貼《は》ったんじゃないですか？」

その場《ば》にいる全員《ぜんいん》がルミを見《み》つめた。

するとルミは、観念《かんねん》したように大《おお》きく肩《かた》をすくめた。

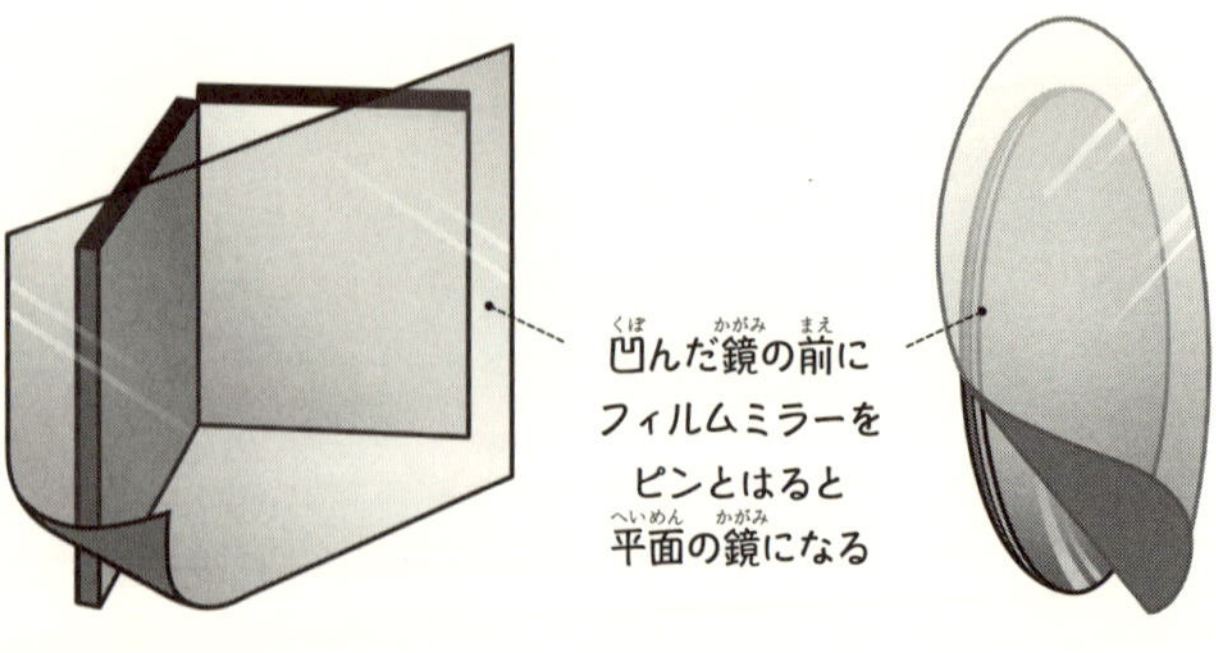
凹《くぼ》んだ鏡《かがみ》の前《まえ》に
フィルムミラーを
ピンとはると
平面《へいめん》の鏡《かがみ》になる

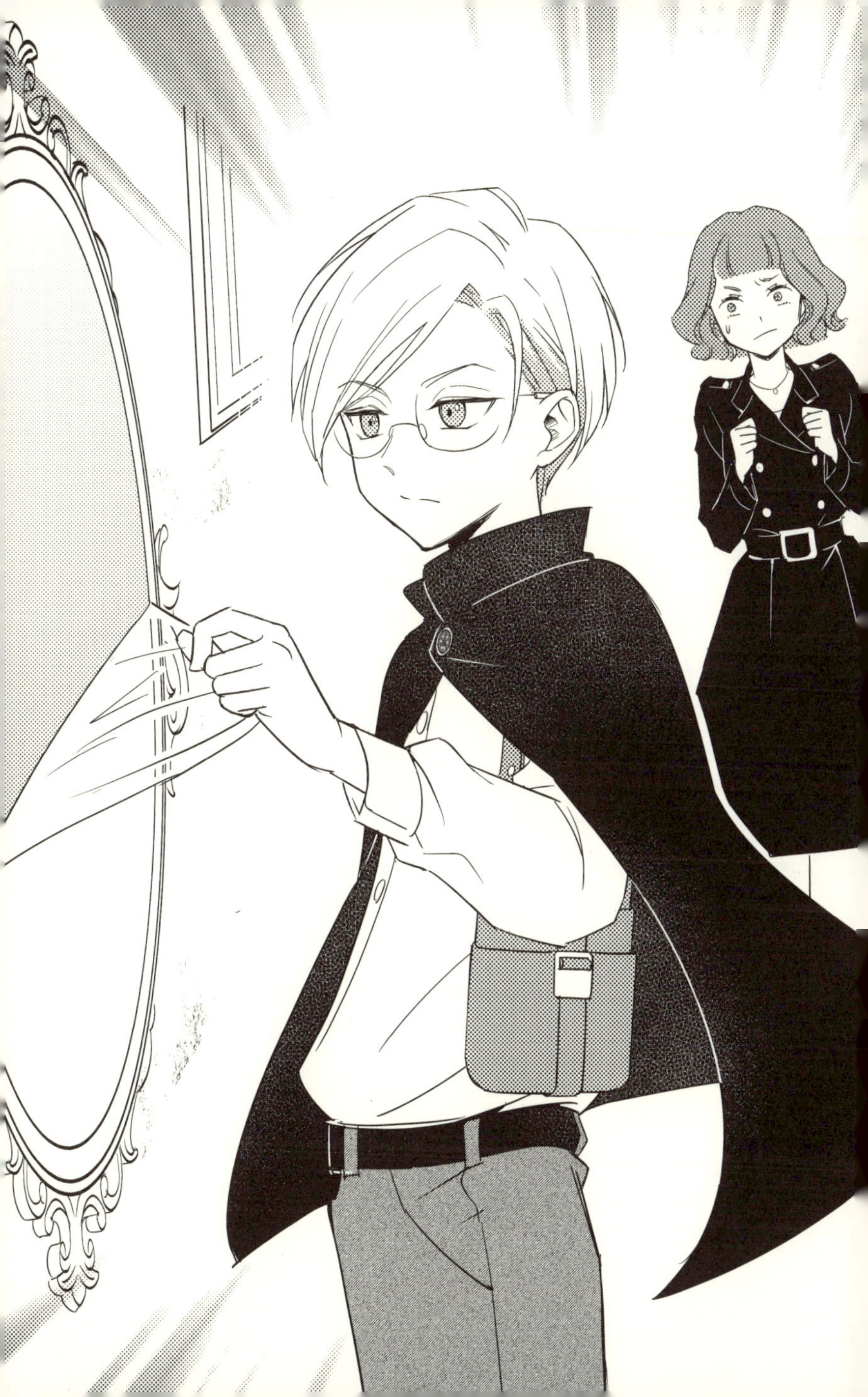

「ええそうよ！　私《わたし》が二《ふた》つの鏡《かがみ》の表面《ひょうめん》にフィルムミラーを貼《は》ったの」

「なんでそんなことをしたの？」

健太《けんた》が聞《き》くと、ルミは駄々《だだ》っ子《こ》のようにぷうっと頬《ほお》をふくらませた。

「この間《あいだ》、不動産屋《ふどうさんや》で幽霊《ゆうれい》の話《はなし》を聞《き》いたとき、きっと鏡《かがみ》に仕掛《しか》けがあるはずだって思《おも》ったの。それをうまく利用《りよう》すれば、この物件《ぶっけん》を安《やす》い値段《ねだん》で借《か》りられるかもしれないって。だからあなたたちに本当《ほんとう》に幽霊《ゆうれい》がいるって思《おも》わせたかったの！」

そこまで言《い》うとルミはハッとして、両手《りょうて》をあわてて振《ふ》った。

「あっ！　でも言《い》っとくけど、幽霊騒動《ゆうれいそうどう》をしくんだのは私《わたし》じゃないからね！　ほかの誰《だれ》かよ。だって、2階《かい》で誰《だれ》かが幽霊《ゆうれい》の人形《にんぎょう》を出《だ》したとき、私《わたし》はここにいたでしょ？　私《わたし》はただ、鏡《かがみ》の仕掛《しか》けをもう少《すこ》しばれにくくしようとしただけだからね！」

ルミの言葉《ことば》に、健太《けんた》が眉《まゆ》をひそめる。

「ってことは、ほかに真犯人《しんはんにん》がいるってこと？」

「なるほど……。その犯人《はんにん》は、一足先《ひとあしさき》にここを出《で》ていったらしいな」

地神《ちがみ》が懐中電灯《かいちゅうでんとう》で部屋《へや》の奥《おく》を照《て》らすと、開《ひら》いたままの裏口《うらぐち》の扉《とびら》が見《み》えた。

「追《お》いかけようよ！　今《いま》なら犯人《はんにん》を捕《つか》まえられるかも！」

あわてて駆《か》けだそうとする健太《けんた》を文彦《ふみひこ》が止《と》める。

「いいんだ。いたずらだとさえわかれば、誰《だれ》が犯人《はんにん》かは問題《もんだい》じゃないんだ」

文彦《ふみひこ》は床《ゆか》に散《ち》らばっていた本《ほん》を一冊《いっさつ》手《て》に取《と》ると、ルミに歩《あゆ》み寄《よ》った。

「これだけは、あなたに言《い》いたい」

文彦《ふみひこ》は本《ほん》を開《ひら》いてルミに差《さ》し出《だ》した。

それは、古《ふる》くてボロボロになった、子《こ》ども向《む》けの探偵小説《たんていしょうせつ》だった。

「あなたの、デジタル・ライブラリーのアイディアは素晴《すば》らしい。

でも、紙《かみ》の本《ほん》にも、紙《かみ》だからこそ受《う》け継《つ》がれ、伝《つた》えられるものがあるんです」

開《ひら》かれたページには、子《こ》どもたちが描《えが》いた落書《らくが》きや手書《てが》きの感想《かんそう》が書《か》かれていた。

「これ……小《ちい》さいころ、大好《だいす》きだった本《ほん》よ。私《わたし》も図書館《としょかん》が大好《だいす》きだった……」

ルミは静《しず》かに、その本《ほん》を胸《むね》に抱《だ》いた。

数日後《すうじつご》。真実《しんじつ》、健太《けんた》、美希《みき》の３人《にん》は地神不動産《ちがみふどうさん》を訪《おとず》れた。

「いや～、ありがとう。アンタたちのおかげで文彦《ふみひこ》さんに『花森《はなもり》にじいろ図書館《としょかん》』の建物《たてもの》を借《か》りてもらうことができたよ。図書館《としょかん》の持《も》ち主《ぬし》の方《かた》も、快《こころよ》く了承《りょうしょう》してくれてね」

そう言《い》って目《め》を細《ほそ》める地神《ちがみ》に、思《おも》わず健太《けんた》が聞《き》き返《かえ》す。

「えっ!?　持《も》ち主《ぬし》の人《ひと》って、行方不明《ゆくえふめい》じゃなかったの!?」

「それがなんと、今回《こんかい》のことをうわさで知《し》って連絡《れんらく》をくれたんだよ。10年前《ねんまえ》、仕事《しごと》の都合《つごう》で急《きゅう》に引《ひ》っ越《こ》したんだそうだ」

「でも心配《しんぱい》なこともあるっすよ。なんと文彦《ふみひこ》さん、ルミさんと一緒《いっしょ》に図書館《としょかん》を経営《けいえい》することにしたんだそうっす。紙《かみ》もデジタルも、本《ほん》を愛《あい》する気持《きも》ちは一緒《いっしょ》だからって」

そう言《い》って桜田《さくらだ》は大《おお》きなため息《いき》をついた。

「ホントに!?　あの2人《ふたり》、結構《けっこう》いいコンビかもしれないね！」

「そうそう！　あんなに素敵《すてき》な建物《たてもの》なら、きっといい図書館《としょかん》になるわよ！」

そう言《い》って健太《けんた》と美希《みき》は笑《わら》ったが、真実《しんじつ》の顔色《かおいろ》は晴《は》れない。

「美希《みき》さんが撮《と》ってくれたこの写真《しゃしん》……、気《き》になることがあるんだ」

真実《しんじつ》は、机《つくえ》の上《うえ》にある図書館《としょかん》の鏡《かがみ》の写《しゃ》真《しん》を手《て》にしていた。

写真《しゃしん》の左下《ひだりした》……、壁《かべ》に小《ちい》さく、アンモナイトの模様《もよう》が刻《きざ》まれている。

「あっ！　このマーク、女優《じょゆう》の白鳥《しらとり》さんのお屋敷《やしき》にもあったよね!?」
健太《けんた》の言葉《ことば》に、真実《しんじつ》は静《しず》かにうなずいた。

「このマーク……一体《いったい》何《なに》を意味《いみ》しているんだろう？」

2

SCIENCE TRICK DATA FILE

科《か》学《がく》トリック データファイル

合《あ》わせ鏡《かがみ》で実《じっ》験《けん》してみよう

左《さ》右《ゆう》が反《はん》転《てん》しない像《ぞう》のほかにも、2枚《まい》の鏡《かがみ》を組《く》み合《あ》わせる角《かく》度《ど》や向《む》きによって見《み》え方《かた》を変《か》えることができます。

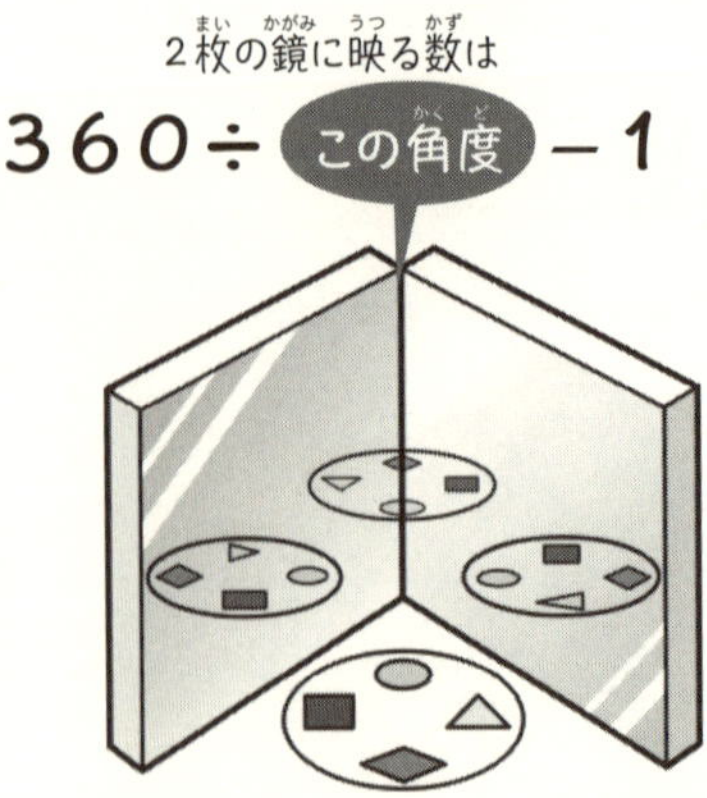
2枚《まい》の鏡《かがみ》に映《うつ》る数《かず》は
360÷この角度《かくど》−1

たとえば2枚《まい》の鏡《かがみ》を90度《ど》に組《く》み合《あ》わせると鏡《かがみ》に三《みっ》つの像《ぞう》が映《うつ》る。

ひみつは
鏡《かがみ》の向《む》きと
角度《かくど》なんだね

?

では、鏡《かがみ》を60度《ど》に組《く》み合《あ》わせると鏡《かがみ》に何枚《なんまい》の像《ぞう》が映《うつ》るだろうか？（答《こた》えは下《した》）

二《ふた》つの鏡《かがみ》の角度《かくど》から映《うつ》る像《ぞう》の数《かず》は計算《けいさん》できるんだよ

鏡《かがみ》を上下《じょうげ》に2枚《まい》合《あ》わせることで、上下《じょうげ》だけが引《ひ》っくり返《かえ》った像《ぞう》をつくることもできます。

家《いえ》に鏡《かがみ》が2枚《まい》あったらぜひ実験《じっけん》してみてください。

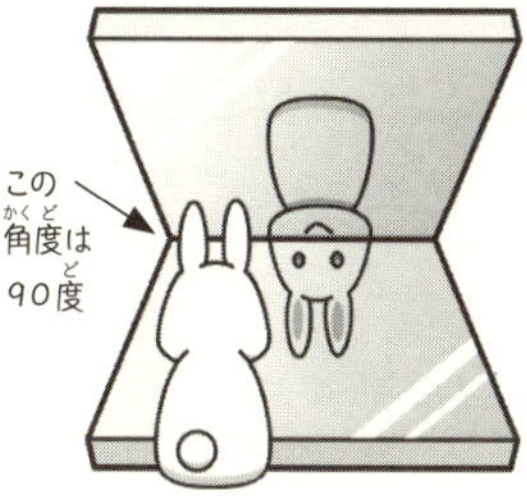
この角度《かくど》は90度《ど》

答《こた》え：5枚《まい》

恐怖《きょうふ》の館《やかた》3

人形塚《にんぎょうづか》に立《た》つ団地《だんち》

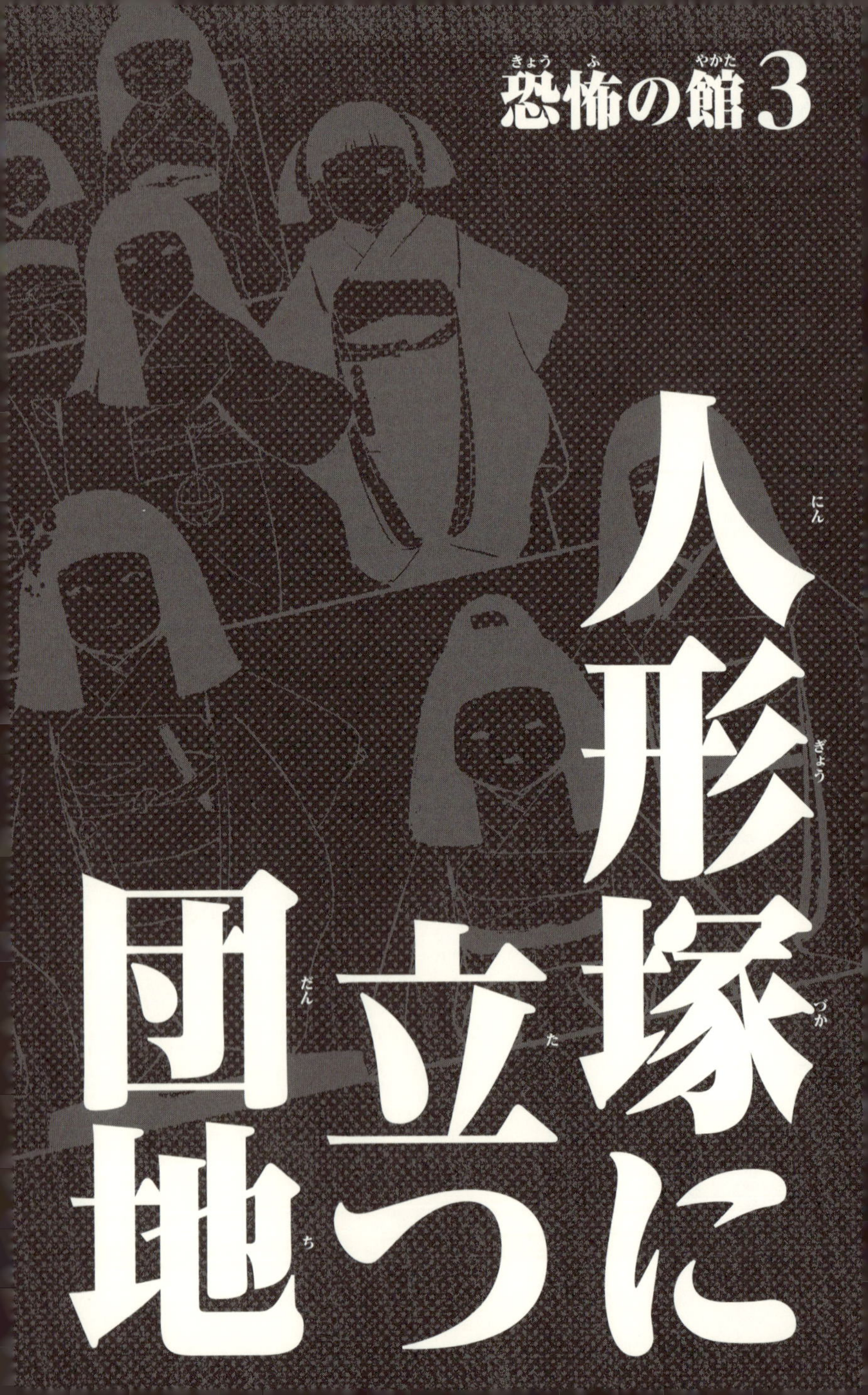

〜幻《まぼろし》の人《にん》形《ぎょう》部《べ》屋《や》

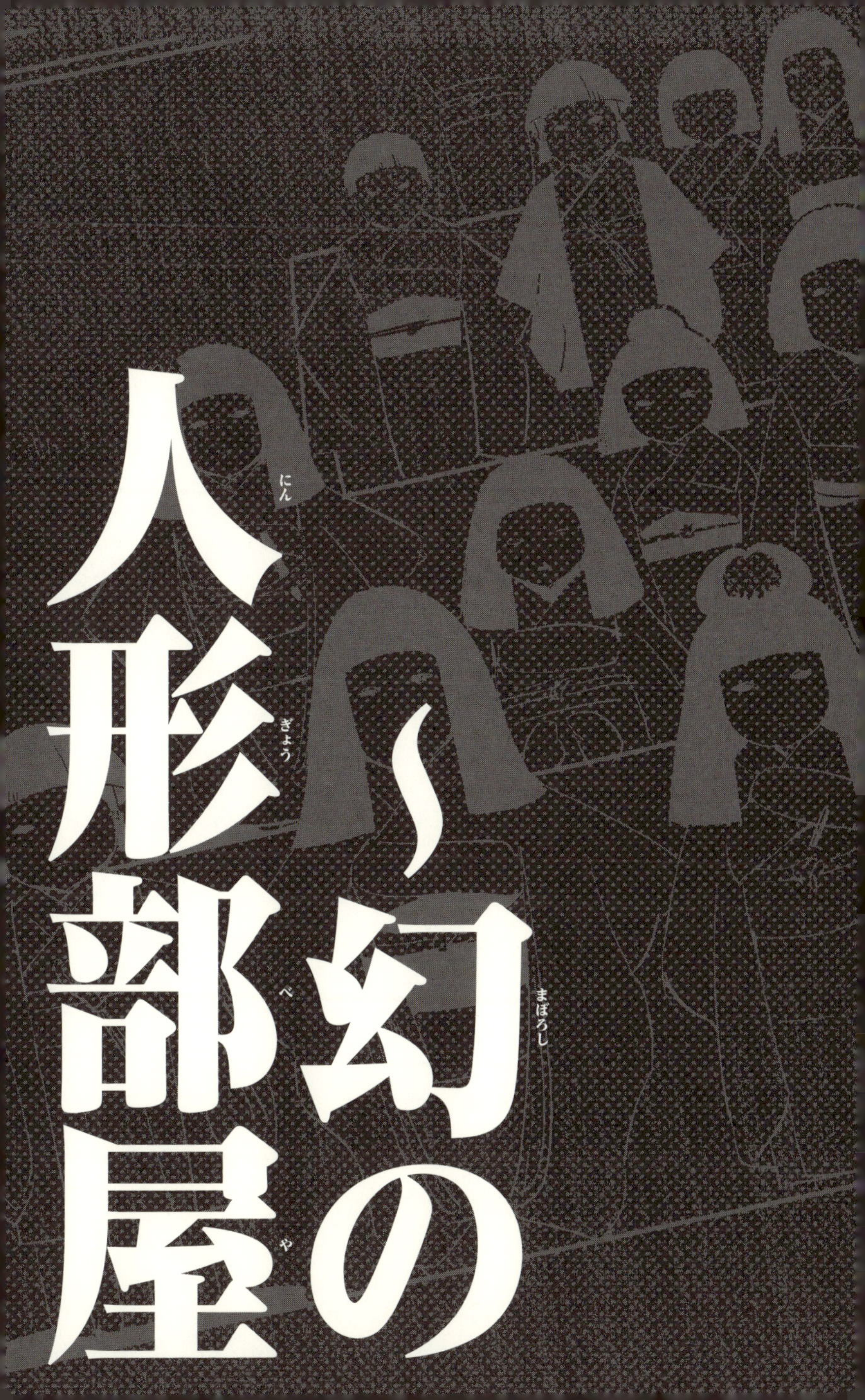

「うわー、手《て》がベタベタ。美希《みき》ちゃん、ウェットティッシュ、持《も》ってない？」

走《はし》っている車《くるま》の中《なか》で、健太《けんた》が美希《みき》に言《い》う。

「車《くるま》の中《なか》でカルメ焼《や》きなんか食《た》べるからよ。まったくもう、しょうがないなあ……」

美希《みき》は笑《わら》いながら、健太《けんた》にウェットティッシュを渡《わた》す。

「1枚《まい》で足《た》りる？」

「うん、大丈夫《だいじょうぶ》。ありがとう」

真実《しんじつ》、健太《けんた》、美希《みき》は先《さき》ほどまで、花森神社《はなもりじんじゃ》のお祭《まつ》りに参加《さんか》していた。

出店《でみせ》で綿《わた》あめやカルメ焼《や》きなどを買《か》って食《た》べ、楽《たの》しんでいると、美希《みき》のタブレットに地神《ちがみ》不動産《ふどうさん》の桜田《さくらだ》から連絡《れんらく》が入《はい》ったのだ。

「ウチの不動産会社《ふどうさんがいしゃ》が所有《しょゆう》する物件《ぶっけん》で、たびたび幽霊騒動《ゆうれいそうどう》が起《お》きている団地《だんち》があるんすよ。至急《しきゅう》、調査《ちょうさ》してもらえませんかね～」

3人《にん》は、迎《むか》えにきた地神不動産《ちがみふどうさん》の車《くるま》で、その物件《ぶっけん》のある場所《ばしょ》に向《む》かうことになったのだ。

「これがその物件《ぶっけん》、『人形塚団地《にんぎょうづかだんち》』っす！」

車《くるま》を降《お》りた3人《にん》の前《まえ》にそびえ立《た》っていたのは、大《おお》きな団地《だんち》だ。築《ちく》40年《ねん》と古《ふる》いが、なかなかしゃれたデザインで、ベランダの手《て》すりは波形《なみがた》になっている。

四角《しかく》い建物《たてもの》の角《かど》という角《かど》はすべて削《けず》られ、丸《まる》みを帯《お》びていたので、どこか、あたたかみも感《かん》じられた。

敷地内《しきちない》には、大《おお》きな桜《さくら》の木《き》やブランコなどの遊具《ゆうぐ》もあり、一見《いっけん》、とても明《あか》るい雰囲気《ふんいき》だ。

幽霊《ゆうれい》が出没《しゅつぼつ》するようなおどろおどろしさはない。

だが、そのとき——。

「ママー、こんなのが出《で》てきたよー」

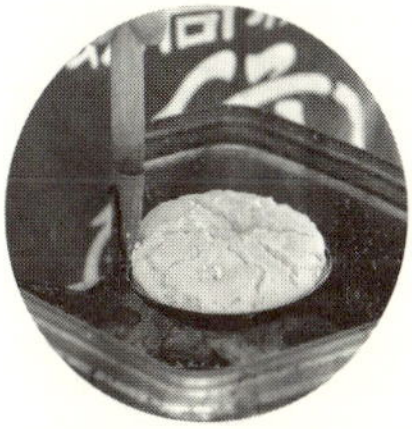

カルメ焼《や》き
砂糖《さとう》（ザラメ）に少《すこ》し水《みず》を加《くわ》えて煮詰《につ》め、重曹《じゅうそう》を入《い》れてふくらませたもの。日本《にほん》には室《むろ》町時代末期《まちじだいまっき》に伝来《でんらい》した。

桜《さくら》の木《き》の根《ね》もとをシャベルで掘《ほ》って遊《あそ》んでいた子《こ》どもが、土《つち》の中《なか》から出《で》てきた何《なに》かを母親《ははおや》に見《み》せる。

それは、古《ふる》い人形《にんぎょう》だった。

母親《ははおや》は、恐怖《きょうふ》に顔《かお》をひきつらせた。

「いやあ、また出《で》ましたかー」

一人《ひとり》の老人《ろうじん》が、そう言《い》いながらやってきた。

老人《ろうじん》の名《な》は、古田年造《ふるたとしぞう》。この団地《だんち》が建《た》てられた当時《とうじ》からの入居者《にゅうきょしゃ》で、管理人《かんりにん》でもある。

古田老人《ふるたろうじん》は、子《こ》どもの手《て》から人形《にんぎょう》を受《う》け取《と》ると、ていねいに砂《すな》をはらう。

「この団地《だんち》が『人形塚団地《にんぎょうづかだんち》』って呼《よ》ばれているのはね。その昔《むかし》、この場所《ばしょ》に、人形《にんぎょう》を供養《くよう》するお寺《てら》があったからなんだ。その寺《てら》がなくなったあとも、敷地《しきち》に古《ふる》くなった人形《にんぎょう》を捨《す》てにくる者《もの》があとを絶《た》たなくてねぇ。今《いま》もこうしてときどき、人形《にんぎょう》が出《で》てくることがあるんだよ」

「そんな場所《ばしょ》に、団地《だんち》なんか建《た》てて大丈夫《だいじょうぶ》だったんですか？　たたりとかあるんじゃ……」

健太《けんた》がたずねると、古田老人《ふるたろうじん》は笑《わら》いながら答《こた》える。

「人形《にんぎょう》は、人間《にんげん》をたたったりしやせんよ。人形《にんぎょう》というものは、本来《ほんらい》、人間《にんげん》の友《とも》だちとして作《つく》

られたものだからね。捨《す》てられたことを悲《かな》しんではおっても、恨《うら》んでやせん。供養《くよう》して可愛《かわい》がってやれば、ずっと心《こころ》に寄《よ》り添《そ》ってくれる」

「あの……この団地《だんち》に幽霊《ゆうれい》がよく出《で》るっていううわさを聞《き》いたんですが、よかったら、くわしいお話《はなし》、聞《き》かせてもらえませんか？」

美希《みき》が言《い》うと、古田老人《ふるたろうじん》はうなずく。

「ああ、いいよ。私《わたし》の部屋《へや》に遊《あそ》びにくるかね？」

真実《しんじつ》、健太《けんた》、美希《みき》、桜田《さくらだ》は、古田老人《ふるたろうじん》の部屋《へや》へと向《む》かった。

その部屋《へや》は、団地《だんち》の8階《かい》——808号室《ごうしつ》だった。

玄関《げんかん》を入《はい》って正面《しょうめん》に台所《だいどころ》があり、さらにその奥《おく》

には6畳《じょう》の和室《わしつ》がある。

「うわー、いい眺《なが》め～！」

和室《わしつ》の窓《まど》から外《そと》を見《み》た健太《けんた》は、思《おも》わず叫《さけ》んだ。

そこからは、花森町《はなもりちょう》が一望《いちぼう》できる。先《さき》ほどまで健《けん》太《た》たちがいた花森神社《はなもりじんじゃ》の鳥居《とりい》が、手前《てまえ》のビル越《ご》しにくっきりと見《み》えた。

古田老人《ふるたろうじん》は、木《き》の下《した》から出《で》てきた人形《にんぎょう》の汚《よご》れを丹念《たんねん》にふき取《と》ると、窓際《まどぎわ》の棚《たな》に置《お》く。

団地《だんち》の敷地《しきち》で人形《にんぎょう》が見《み》つかるたびに、老人《ろうじん》はこうして部屋《へや》に持《も》ち帰《かえ》り、大切《たいせつ》に保管《ほかん》しているのだという。

棚《たな》には、ほかにも女《おんな》の子《こ》の市松人形《いちまつにんぎょう》が飾《かざ》られていた。古田老人《ふるたろうじん》はそのうちの1体《たい》を手《て》に取《と》った。

鳥居《とりい》
神社《じんじゃ》の入《い》り口《ぐち》などに備《そな》え付《つ》けられた門《もん》。木《き》や石《いし》でつくられ、基本的《きほんてき》には2本《ほん》の柱《はしら》と2本《ほん》の横木《よこぎ》で構成《こうせい》される。

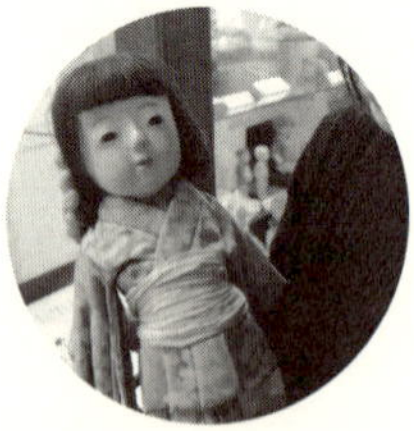

市松人形《いちまつにんぎょう》
江戸時代《えどじだい》からつくられている、手足《てあし》が動《うご》かせる着《き》せ替《か》え人形《にんぎょう》。

「この市松人形《いちまつにんぎょう》は、年々《ねんねん》、髪《かみ》が伸《の》び続《つづ》けているんだよ」


「髪《かみ》が伸《の》びる!?」

古田老人《ふるたろうじん》の言葉《ことば》に、驚《おどろ》く健太《けんた》。

「まさか、そんな……」

美希《みき》は、そう言《い》いながら、市松人形《いちまつにんぎょう》を写真《しゃしん》に撮《と》る。

「ウソではないという証拠《しょうこ》に、30年前《ねんまえ》に撮《と》ったこの人形《にんぎょう》の写真《しゃしん》をお見《み》せしよう」

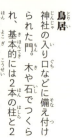

古田老人《ふるたろうじん》が出《だ》してきた市松人形《いちまつにんぎょう》の昔《むかし》の写真《しゃしん》を見《み》て、健太《けんた》と美希《みき》は思《おも》わず「あっ！」と叫《さけ》んだ。写真《しゃしん》の市松人形《いちまつにんぎょう》は、肩《かた》ぐらいまでの、おかっぱ頭《あたま》だったのだ。

しかし、目《め》の前《まえ》の人形《にんぎょう》は、髪《かみ》が胸《むね》の辺《あた》りまで伸《の》びている。

「30年《ねん》も一緒《いっしょ》に暮《く》らしていると、なんだか自分《じぶん》の子《こ》どものように思《おも》えてきてねぇ。実際《じっさい》、魂《たましい》が宿《やど》っているというか、生《い》きてるんだよ、このお人形《にんぎょう》さんは」

古田老人《ふるたろうじん》は、そう言《い》って、にっこりとほほ笑《え》んだ。

「人形《にんぎょう》の髪《かみ》が伸《の》びるって、怪談《かいだん》とかで聞《き》いたことがあるけど、まさか本当《ほんとう》にあるなんて……」

古田老人《ふるたろうじん》の部屋《へや》を出《で》たあと、団地《だんち》の外廊下《そとろうか》を歩《ある》きながら、健太《けんた》はつぶやいた。

「いや、人形《にんぎょう》はＡＩ《エーアイ》と同《おな》じ、ただの『もの』さ。生《い》きていると感《かん》じるのは人間側《にんげんがわ》の思《おも》いだ」

市松人形《いちまつにんぎょう》の髪《かみ》が伸《の》びたことも、簡単《かんたん》に説明《せつめい》がつく、と真実《しんじつ》は言《い》う。

「市松人形《いちまつにんぎょう》の髪《かみ》は、長《なが》めの髪《かみ》を二《ふた》つ折《お》りにして頭部《とうぶ》に縫《ぬ》いつけられたものが多《おお》い。もともと見《み》た目《め》の倍《ばい》ほどの長《なが》さがあって、それが歳月《さいげつ》を経《へ》てずれたりして、髪《かみ》が伸《の》びたように見《み》えるんだ」

「ああ、なんだ、そういうことだったのか」

「いやあ、謎野《なぞの》くん、さすがっすね～」

桜田《さくらだ》は、感心《かんしん》したように言《い》った。

「実《じつ》はこの団地《だんち》で、毎週《まいしゅう》、住人《じゅうにん》たちが集《あつ》まって『幽霊会議《ゆうれいかいぎ》』ってのを開《ひら》いてるんすよ。ここで起《お》きてる怪奇現象《かいきげんしょう》の対策《たいさく》を話《はな》し合《あ》う会議《かいぎ》なんすけどね～」

「えっ、怪奇現象《かいきげんしょう》って、ほかにも何《なに》か起《お》きてるんですか!?」

健太《けんた》は、興味津々《きょうみしんしん》にたずねる。

「いや、オレは単《たん》に気《き》のせいじゃないかって思《おも》ってるんすけどね。その会議《かいぎ》を開《ひら》いてる下沼《しもぬま》ヨミ子《こ》って人《ひと》が、いわゆるうわさ好《ず》きの主婦《しゅふ》でして……。いやあ、困《こま》ったもんなんすよ～」

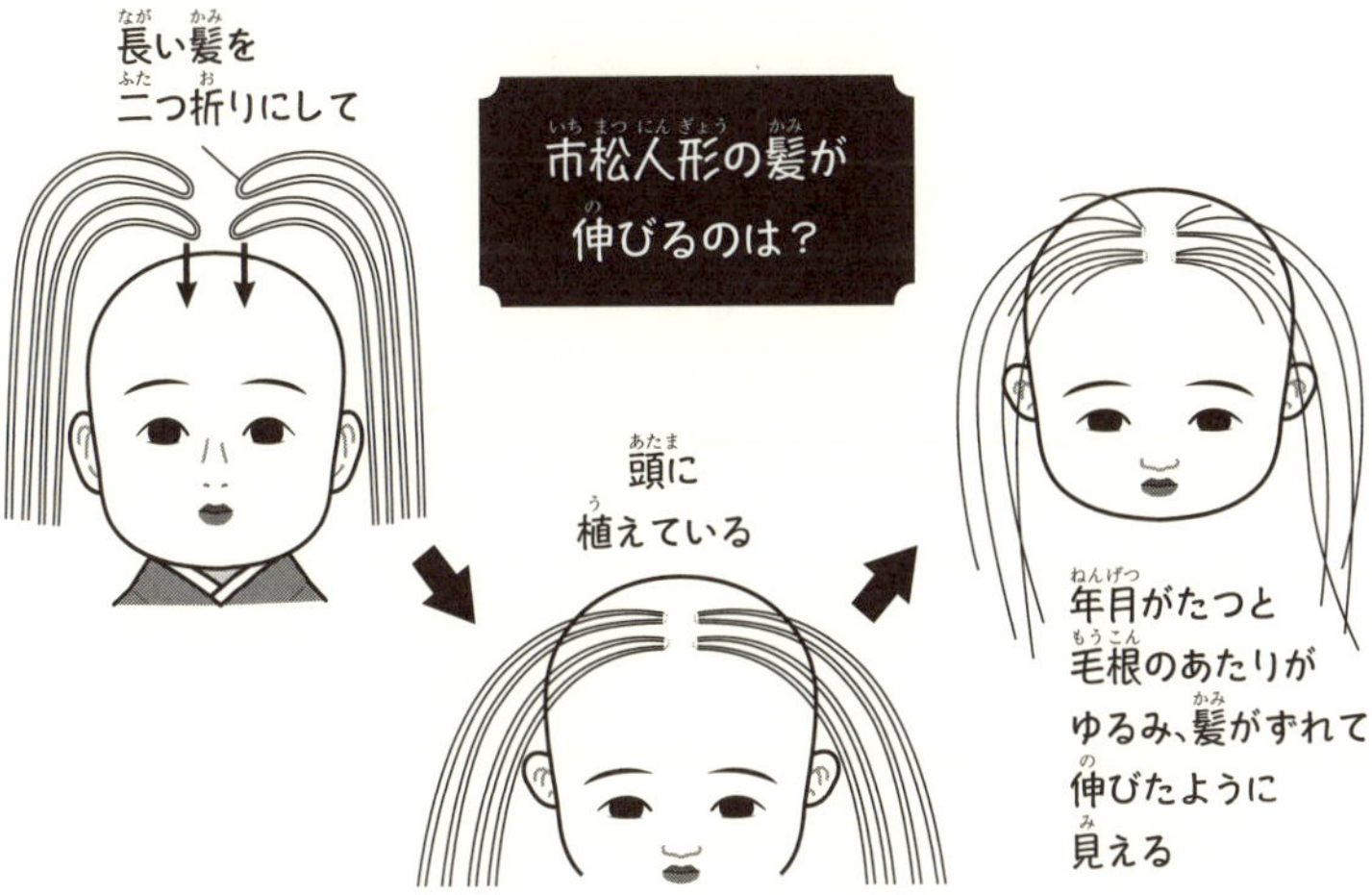
市松人形《いちまつにんぎょう》の髪《かみ》が伸《の》びるのは？
長《なが》い髪《かみ》を二《ふた》つ折《お》りにして
頭《あたま》に植《う》えている
年月《ねんげつ》がたつと毛根《もうこん》のあたりがゆるみ、髪《かみ》がずれて伸《の》びたように見《み》える桜田《さくらだ》によると、ヨミ子《こ》はこの団地《だんち》にまつわる恐《おそ》ろしいうわさを吹聴《ふいちょう》しているという。

「まあ、ほとんどの住人《じゅうにん》は聞《き》き流《なが》してるんすけどね。最近《さいきん》、信《しん》じる人《ひと》も増《ふ》えてきて……。謎《なぞ》野《の》くん、よかったらその会議《かいぎ》に参加《さんか》して、怪奇現象《かいきげんしょう》のナゾをズバッと解《と》き明《あ》かしちゃってくれませんか？」

4人《にん》は、下沼《しもぬま》ヨミ子《こ》の部屋《へや》へ向《む》かうことになった。


ヨミ子《こ》の部屋《へや》は、団地《だんち》の3階《かい》――304号室《ごうしつ》だった。

そこには、部屋《へや》の主《ぬし》のヨミ子《こ》のほかに、何人《なんにん》かの住人《じゅうにん》が集《あつ》まっていた。

桜田《さくらだ》は、真実《しんじつ》たちを住人《じゅうにん》に紹介《しょうかい》すると、

「オレは、お客《きゃく》さんに電話《でんわ》を一本《いっぽん》かけなきゃいけないんで、ちょっと失礼《しつれい》しまーす」

そう言《い》って部屋《へや》を出《で》ていく。

「あの人《ひと》、地神不動産《ちがみふどうさん》の社員《しゃいん》よね？　あたしたちと顔《かお》を合《あ》わせるのが気《き》まずいのかしら？」

「いくら怪奇現象《かいきげんしょう》のことを言《い》っても『ただの気《き》のせいです』って、おはらいひとつしてくれないんだから、無責任《むせきにん》な話《はなし》よね」

桜田《さくらだ》が出《で》ていったあと、住人《じゅうにん》たちはヒソヒソと言《い》い合《あ》った。

「一体《いったい》、この団地《だんち》でどんな怪奇現象《かいきげんしょう》が起《お》きてるんですか？」

美希《みき》がたずねると、住人《じゅうにん》たちは待《ま》ってましたとばかりに話《はな》し出《だ》した。

「誰《だれ》もいない部屋《へや》から音《おと》が聞《き》こえるのよ」

「パシッとか、ギシギシッとか。あれは絶対《ぜったい》に気《き》のせいなんかじゃないわ」

「そう。30年前《ねんまえ》、この団地《だんち》で4歳《さい》の女《おんな》の子《こ》と母親《ははおや》が亡《な》くなったの」

すわった目《め》でつぶやいたのは、この部屋《へや》の主《ぬし》――下沼《しもぬま》ヨミ子《こ》だった。

「団地《だんち》にとりついた人形《にんぎょう》の霊《れい》のしわざだって、ご近所《きんじょ》の人《ひと》がうわさしてたわ！」

健太《けんた》はゾッとする。

そのとき、パシッという音《おと》が鳴《な》った。

「始《はじ》まった！」

「ラップ音《おん》よ！」

「もういや！　あたし、引《ひ》っ越《こ》す！」

その場《ば》にいた住人《じゅうにん》たちは、パニックに陥《おちい》る。

「みなさん、落《お》ち着《つ》いてください。これは科学《かがく》で説明《せつめい》できる現象《げんしょう》です」

真実《しんじつ》は、そう言《い》って、一同《いちどう》をなだめた。

「この団地《だんち》は、室内《しつない》に木材《もくざい》が多《おお》く使《つか》われていますよね？　木《き》は、温度《おんど》や湿度《しつど》が上《あ》がると膨張《ぼうちょう》し、下《さ》がると水分《すいぶん》を放出《ほうしゅつ》するために収縮《しゅうしゅく》するんです。このとき、パシッとか、ギシギシッといった音《おと》が鳴《な》ることがよくある。『家鳴《いえな》り』と呼《よ》ばれる現象《げんしょう》です」

「つまり、霊《れい》のしわざじゃないってことか」

住人《じゅうにん》たちは、ホッとした表情《ひょうじょう》になった。

そこに、タイミングを見計《みはか》らったかのように、桜田《さくらだ》が戻《もど》ってくる。

「みなさん、お待《ま》たせしました。……あれ？　もう問題《もんだい》は解決《かいけつ》しちゃいました？」

「まあ、そうね」

「私《わたし》たち、ちょっと神経質《しんけいしつ》になりすぎていたかも」

住人《じゅうにん》たちは、一件落着《いっけんらくちゃく》したので、自分《じぶん》たちの部屋《へや》に帰《かえ》ると言《い》い出《だ》した。

「みなさん、ちょっと待《ま》って！」

そのとき、ヨミ子《こ》が住人《じゅうにん》たちを呼《よ》びとめた。

「今朝《けさ》、知《し》らない人《ひと》から、変《へん》なメールが届《とど》いたのよ」

「変《へん》なメール？」

住人《じゅうにん》たちは、驚《おどろ》いた顔《かお》でヨミ子《こ》を見返《みかえ》す。

「その人《ひと》、10年前《ねんまえ》までこの団地《だんち》に住《す》んでいたらしいんだけど、そのとき、奇妙《きみょう》な体験《たいけん》をしたって……」

ヨミ子《こ》は、そう言《い》うと、奇妙《きみょう》な体験《たいけん》がつづられたメールを一同《いちどう》に見《み》せた。


メールによると、元住人《もとじゅうにん》を名乗《なの》るその人物《じんぶつ》は、団地《だんち》の2階《かい》——２０５号室《ごうしつ》に住《す》んでいたという。

夜中《よなか》に上《うえ》の階《かい》から水漏《みずも》れがしたので、元住人《もとじゅうにん》は管理人《かんりにん》の古田老人《ふるたろうじん》の部屋《へや》——８０８号室《ごうしつ》を訪《たず》ねた。いつものように8階《かい》でエレベーターを降《お》りて、「８０８」と書《か》かれ

たドアをノックしたが、返事《へんじ》はなかった。ためしにドアを開《あ》けてみたら、鍵《かぎ》はかかっていなかったという。

部屋《へや》に足《あし》を踏《ふ》み入《い》れると、あたりは真《ま》っ暗《くら》。元住人《もとじゅうにん》は「古田《ふるた》さん？」と、声《こえ》をかけながら、スマホのライトで部屋《へや》の中《なか》を照《て》らしてみた。

すると、明《あ》かりの中《なか》に浮《う》かび上《あ》がったのは、おびただしい数《かず》の人形《にんぎょう》だった。

人形《にんぎょう》たちは、暗《くら》がりの中《なか》にズラリと並《なら》んで、不気味《ぶきみ》な笑《わら》い声《ごえ》をあげていたという。

「まさか、そんな……このメールを書《か》いた人《ひと》、夢《ゆめ》でも見《み》てたんじゃない？」

「でも、管理人《かんりにん》の古田《ふるた》さんって、たしか何年《なんねん》も前《まえ》に娘《むすめ》さんと奥《おく》さんを亡《な》くされているのよね」

「えっ、じゃあ、さっき下沼《しもぬま》さんがおっしゃってた、人形《にんぎょう》のたたりで亡《な》くなった女《おんな》の子《こ》とその母親《ははおや》って、もしかして古田《ふるた》さんの娘《むすめ》さんと奥《おく》さん？」

「古田《ふるた》さんが住《す》む808号室《ごうしつ》は、人形《にんぎょう》の霊界《れいかい》とつながっているのよ」

ヨミ子《こ》は断言《だんげん》する。

「娘《むすめ》さんと奥《おく》さんは、その霊界《れいかい》に引《ひ》きずり込《こ》まれたんだわ」

住人《じゅうにん》たちは、ふたたび背筋《せすじ》を凍《こお》らせた。

「はは、バカな……人形《にんぎょう》の霊界《れいかい》なんてあるわけないっすよ」

場違《ばちが》いな明《あか》るさで、そう言《い》い切《き》った桜田《さくらだ》に、住人《じゅうにん》たちの視線《しせん》が集《あつ》まる。

その目《め》はどれも、笑《わら》っていなかった。

「あ……いや、ご心配《しんぱい》というなら、今《いま》からもう一度《いちど》、古田管理人《ふるたかんりにん》のお部屋《へや》に行《い》って、くわしく調《しら》べてきます」

桜田《さくらだ》は、あわてて言《い》い直《なお》した。

真実《しんじつ》、健太《けんた》、美希《みき》、桜田《さくらだ》の4人《にん》は、3階《かい》からエレベーターに乗《の》り、ふたたび8階《かい》の808号室《ごうしつ》へと向《む》かった。

「古田《ふるた》さん、いらっしゃいますかー？」

ドアをノックする桜田《さくらだ》。――しかし、返事《へんじ》はない。

「……留守《るす》みたいっすねえ。さっきは部屋《へや》にいたのに……」

そんなことを言《い》いながら、ドアノブを回《まわ》すと、ドアはそのまま開《あ》いた。

「えっ、何《なに》これ⁉」

部屋《へや》の中《なか》を見《み》た瞬間《しゅんかん》、健太《けんた》は声《こえ》を張《は》りあげる。

部屋《へや》の間取《まど》りは、さっき見《み》た808号室《ごうしつ》と同《おな》じ――しかし、そこにあるはずの家具《かぐ》がなくなっていたのだ。

ふふふ……ふふふ……。

奥《おく》の6畳間《じょうま》のほうからは、不気味《ぶきみ》な笑《わら》い声《ごえ》が聞《き》こえてくる。

おそるおそる足《あし》を踏《ふ》み入《い》れると、6畳間《じょうま》の四隅《よすみ》には塩《しお》を盛《も》った小皿《こざら》が置《お》かれ、その中央《ちゅうおう》に

雛壇《ひなだん》が置《お》かれていた。

赤《あか》い布《ぬの》が敷《し》かれた雛壇《ひなだん》の上《うえ》には、おびただしい数《かず》の人《にん》形《ぎょう》がズラリと並《なら》んでいる。

ふふふ……

ふふふ……。

笑《わら》い声《ごえ》をあげていたのは、その人形《にんぎょう》たちだった。

「うわあああっ!!」

「きゃあああっ!!」

健太《けんた》と美希《みき》は悲鳴《ひめい》をあげる。

「こ、これは……人形《にんぎょう》の霊界《れいかい》!?
ヤバイ……ここにいちゃヤバイっす!!」

真《ま》っ先《さき》に逃《に》げ出《だ》した桜田《さくらだ》につられて、美希《みき》も思《おも》わず部屋《や》を飛《と》び出《だ》す。しかし、真実《しんじつ》と健太《けんた》がその場《ば》を動《うご》かずにいたので、２人《ふたり》はばつが悪《わる》そうに戻《もど》ってきた。

「キミたち……勇気《ゆうき》あるね～。大人《おとな》のオレでもビビッて逃《に》げ出《だ》したのに、この部屋《へや》にとどまっているなんて……」

「ぼくは、ただ、腰《こし》が抜《ぬ》けて動《うご》けなくなっちゃっただけだよ～～」

健太《けんた》は、情《なさ》けない顔《かお》で言《い》うと、その場《ば》にへたり込《こ》んだ。

「いや、これは何《なに》かのトリックさ」

ただ一人《ひとり》真実《しんじつ》だけは、怖《こわ》がる様子《ようす》もなく、雛壇《ひなだん》へと近《ちか》づいていく。

「真実《しんじつ》くん、やめたほうがいいよ。もし本当《ほんとう》にここが人形《にんぎょう》の霊界《れいかい》だったら……人形《にんぎょう》のたたりで殺《ころ》されちゃうかもしれないよ？」

健太《けんた》は、真実《しんじつ》を止《と》めようとしたが、腰《こし》が抜《ぬ》けているので立《た》ち上《あ》がることができない。

——そのときだった。


「うわっ、なんだこりゃ!?」


桜田《さくらだ》の叫《さけ》び声《ごえ》に振《ふ》り返《かえ》った健太《けんた》は、恐怖《きょうふ》の表情《ひょうじょう》を張《は》りつかせたまま固《かた》まってしまう。

部屋《へや》の一角《いっかく》に置《お》かれた盛《も》り塩《じお》から、何《なに》か、得体《えたい》の知《し》れない黒《くろ》いものがじわじわとわき出《だ》していたのだ。それはヘビのようにとぐろを巻《ま》き、うねりながら、健太《けんた》の足元《あしもと》に近《ちか》づいてきた。


「うわあぁっ、こっちに来《き》てるうぅ〜〜！　たた、助《たす》けてーっ!!」

健太《けんた》は、尻《しり》もちをついたまま、必死《ひっし》にあとずさった。

「邪霊《じゃれい》がいる家《いえ》では盛《も》り塩《じお》が黒《くろ》く変色《へんしょく》するっていうけど、黒《くろ》くなった盛《も》り塩《じお》がヘビの形《かたち》になるなんて……。これは、よっぽど強《つよ》い力《ちから》を持《も》った邪霊《じゃれい》だわ！」

美希《みき》も真《ま》っ青《さお》になる。


ふふふ……ふふふ……。


人形《にんぎょう》たちは、相変《あいか》わらず、不気味《ぶきみ》な笑《わら》い声《ごえ》をあげていた。

ところが、笑《わら》い声《ごえ》は、ふいにやむ。

真実《しんじつ》が、雛壇《ひなだん》の下《した》に置《お》かれたブルートゥーススピーカーの電源《でんげん》を切《き》ったのだ。

「人形《にんぎょう》の笑《わら》い声《ごえ》は、このスピーカーから流《なが》れるしくみになっていたんだ」

雛壇《ひなだん》にかけられた赤《あか》い布《ぬの》の裾《すそ》をめくりながら、真実《しんじつ》は言《い》った。


「**スピーカー!?**」

健太《けんた》は、拍子抜《ひょうしぬ》けする。

「誰《だれ》かがスマホを操作《そうさ》して、ここから笑《わら》い声《ごえ》を流《なが》してたんだ。この部屋《へや》の怪奇現象《かいきげんしょう》は、すべてトリックさ」

「じゃあ、盛《も》り塩《じお》から黒《くろ》いヘビが出《で》てきたのも……？」

「ある物質《ぶっしつ》とある物質《ぶっしつ》を混《ま》ぜ合《あ》わせて、そこに火《ひ》をつけると、化学反応《かがくはんのう》が起《お》きて、黒《くろ》いヘビのような物体《ぶったい》が飛《と》び出《だ》す現象《げんしょう》が起《お》きるんだ」

「ある物質《ぶっしつ》とある物質《ぶっしつ》？」

「それって、一体何《いったいなん》なの？」

ブルートゥース
スマートフォンやパソコンの周辺機器《しゅうへんきき》（キーボード、スピーカーなど）との接続《せつぞく》に使《つか》われる無線《むせん》の方式《ほうしき》。ケーブルを使《つか》わず、データの送受信《そうじゅしん》などが可能《かのう》になる。

健太《けんた》と美希《みき》は、首《くび》をかしげた。

「お祭《まつ》りの出店《でみせ》で売《う》っていた、あるものがヒントだよ」

あたりには、甘《あま》い匂《にお》いが漂《ただよ》っていた。

重曹《じゅうそう》と小麦粉《こむぎこ》

砂糖《さとう》と重曹《じゅうそう》

小麦粉《こむぎこ》と砂糖《さとう》

解《かい》決《けつ》編《へん》

重曹《じゅうそう》
炭酸水素《たんさんすいそ》ナトリウムの通称《つうしょう》。ベーキングパウダーの材料《ざいりょう》として使《つか》ったり、油汚《あぶらよご》れを中和《ちゅうわ》する働《はたら》きがあるため掃除《そうじ》に使《つか》われたりする。

「そういえば、この匂《にお》い……どっかでかいだ気《き》がする」
健太《けんた》は、くんくんと鼻《はな》をならした。

「……そうだ、カルメ焼《や》きだ!!」

「カルメ焼《や》きっていったら……砂糖《さとう》と重曹《じゅうそう》で作《つく》るのよね?」
「そう。答《こた》えは、砂糖《さとう》と重曹《じゅうそう》さ。これを仕掛《しか》けた人物《じんぶつ》は、あらかじめ盛《も》り塩《じお》の皿《さら》にエタノールをしみこませた砂《すな》を入《い》れ、その上《うえ》に砂糖《さとう》と重曹《じゅうそう》を混《ま》ぜたものを盛《も》っておいたんだ」

砂糖《さとう》と重曹《じゅうそう》はどちらも白《しろ》いので、一見《いっけん》、塩《しお》と区別《くべつ》がつかない、と真実《しんじつ》は言《い》う。

「しかし、これに火《ひ》をつけると、砂《さ》糖《とう》はこげて炭《すみ》となり、重曹《じゅうそう》からは二《に》酸化炭《さんかたん》素《そ》が発生《はっせい》する。その二酸化炭《にさんかたん》素《そ》が、砂糖《さとう》が加熱《かねつ》されてできた炭《すみ》をふくらませて、黒《くろ》いヘビのようなものを発生《はっせい》させるんだ」

「……はあ、そうだったのか」

「でも、一体誰《いったいだれ》がこんな仕掛《しか》けを？ そもそもこの部屋《へや》って、古田管理人《ふるたかんりにん》の部屋《へや》よね？ ここにあった家具《かぐ》は、どこに行《い》ったの？ そして、古《ふる》

ヘビの正体《しょうたい》！

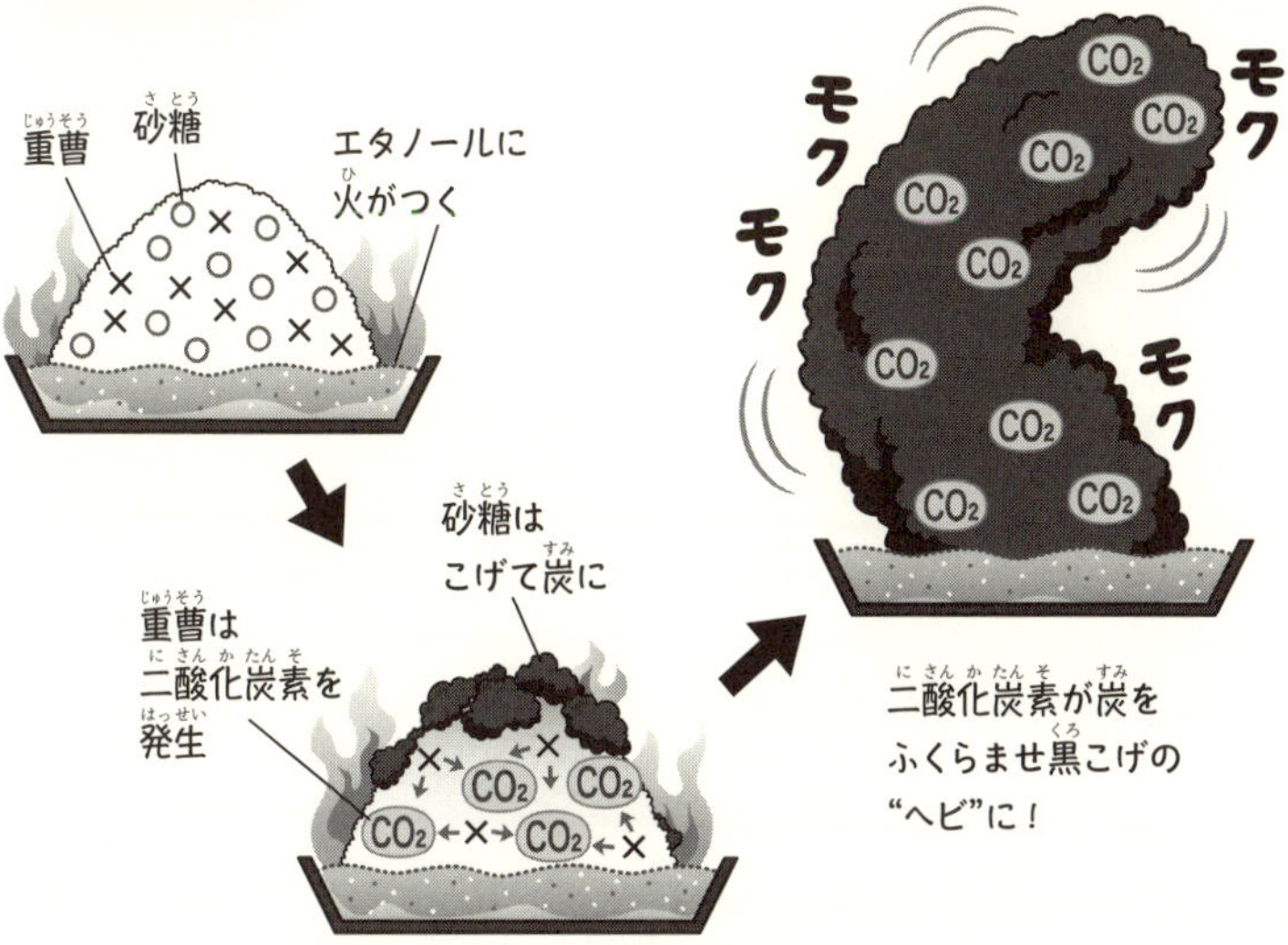
重曹《じゅうそう》
砂糖《さとう》
エタノールに火《ひ》がつく
砂糖《さとう》はこげて炭《すみ》に
重曹《じゅうそう》は二酸化炭素《にさんかたんそ》を発生《はっせい》
CO_2
モク
モク
モク
モク
二酸化炭素《にさんかたんそ》が炭《すみ》をふくらませ黒《くろ》こげの“ヘビ”に！

田《た》管理人《かんりにん》は、どこに消《き》えちゃったのかしら？」

「……そうか。やっぱりこれは怪奇現象《かいきげんしょう》だよ。ほんの1時間足《じかんた》らずの間《あいだ》に部屋《へや》を丸《まる》ごと入《い》れ替《か》えるなんてできるわけないし……」

健太《けんた》は、ふたたび震《ふる》え出《だ》し、その場《ば》にしゃがみ込《こ》む。

そのとき、窓《まど》を開《あ》け、外《そと》を見《み》た真実《しんじつ》が「なるほどね」と、つぶやいた。

「え？　何《なに》が〝なるほどね〟なの、真実《しんじつ》くん？」

「健太《けんた》くん、あれを見《み》てごらん」

真実《しんじつ》が、ある方向《ほうこう》を指《ゆび》さす。

窓《まど》の外《そと》を見《み》た健太《けんた》は「あれ？」と、首《くび》をかしげる。

「花森神社《はなもりじんじゃ》の鳥居《とりい》が見《み》えなくなっている。さっきは見《み》えてたのに」

「そう。この８０８号室《ごうしつ》は、管理人《かんりにん》の古田《ふるた》さんがいた先《さき》

ほどの８０８号室《ごうしつ》とは窓《まど》から見《み》える景色《けしき》が違《ちが》う。つまり、別《べつ》の部屋《へや》だってことさ」

「別《べつ》の部屋《へや》!?」

驚《おどろ》く美希《みき》。

「でも、この部屋《へや》は、間違《まちが》いなく８０８号室《ごうしつ》よ？　エレベーターを降《お》りたのも８階《かい》だったし……別《べつ》の部屋《へや》って……え、どういうこと!?」

真実《しんじつ》、健太《けんた》、美希《みき》、桜田《さくらだ》の４人《にん》は、エレベーターで１階《かい》に降《お》り、建物《たてもの》の外《そと》に出《で》た。

「この団地《だんち》は何階建《なんかいだ》てだっけ？」

「10階建《かいだ》てよ、真実《しんじつ》くん」

美希《みき》は答《こた》える。

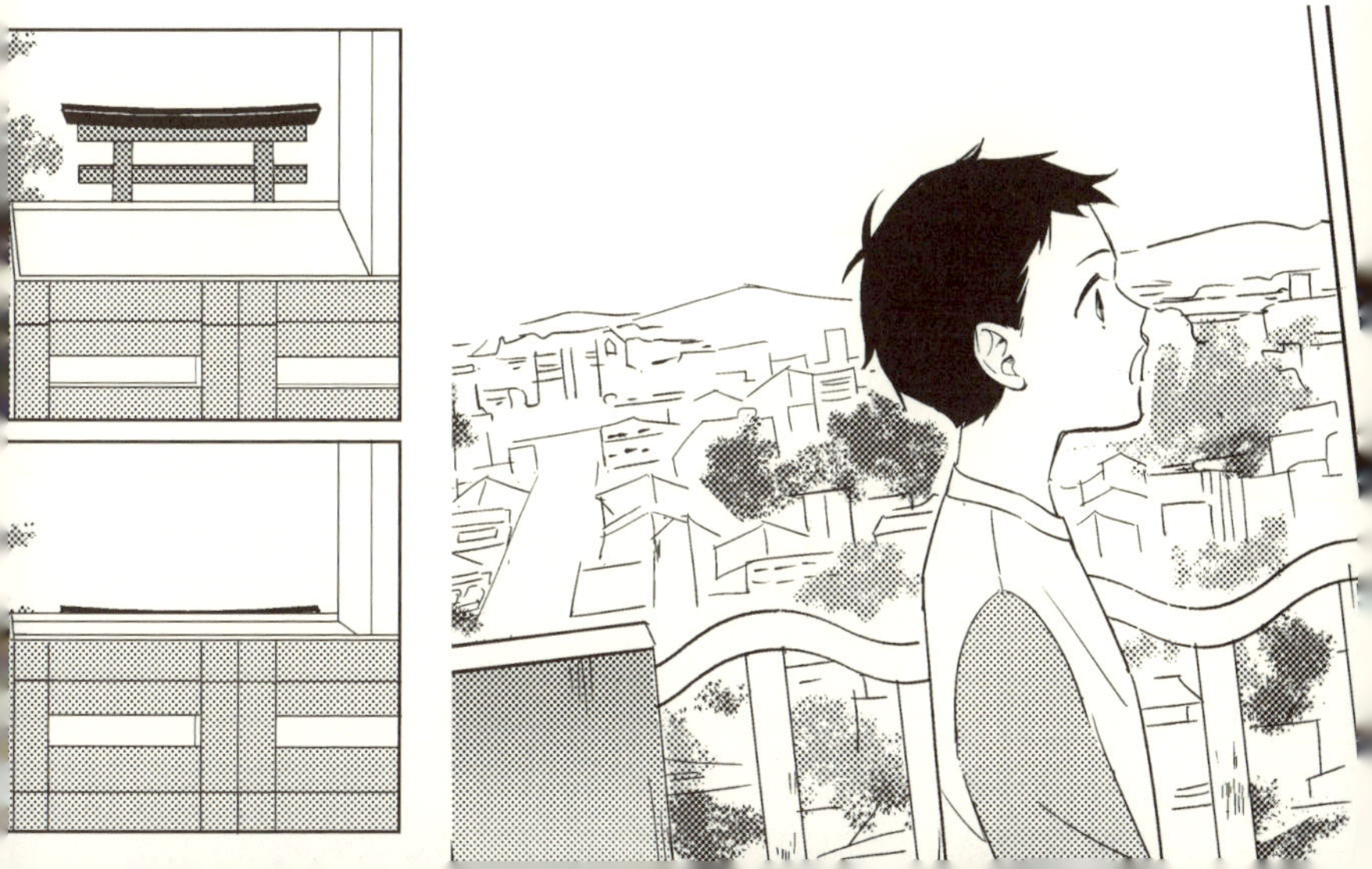

「団地《だんち》の案内板《あんないばん》にもそう表示《ひょうじ》されていたし、エレベーターのボタンも1階《かい》から10階《かい》までだったわ」

「じゃあ、実際数《じっさいかぞ》えてみて」

真実《しんじつ》に促《うなが》され、美希《みき》は外《そと》から団地《だんち》の階数《かいすう》を数《かぞ》える。

「1、2、3、4、5、6、7、8、9、10……11？　あれ？　変《へん》ねぇ。外《そと》から数《かぞ》えたらこの建物《たてもの》、11階建《かいだ》てだわ」

「そう。この団地《だんち》は、もともとは11階建《かいだ》てだったんだ」

真実《しんじつ》は、ホルスターから双眼鏡《そうがんきょう》を取《と》り出《だ》すと、団地《だんち》の上《うえ》のほうを眺《なが》め、「やっぱりね」と、つぶやく。

「古田《ふるた》さんの住《す》む8階《かい》は、本当《ほんとう》は9階《かい》にあって、その808号室《ごうしつ》は、実際《じっさい》には908号室《ごうしつ》なんだ。その証拠《しょうこ》に……健太《けんた》くん、この双眼鏡《そうがんきょう》で9階《かい》の908号室《ごうしつ》を見《み》てごらん」

真実《しんじつ》に言《い》われ、健太《けんた》は双眼鏡《そうがんきょう》で908号室《ごうしつ》を見《み》る。

「……窓《まど》のところに市松人形《いちまつにんぎょう》が見《み》える！　908号室《ごうしつ》は、管理人《かんりにん》の古田《ふるた》さんの部屋《へや》だ！

えっ、でもなんで!? 9階《かい》が8階《かい》になったって……どういうこと!?」

「8階《かい》のフロアが、何《なん》らかの理由《りゆう》で封印《ふういん》されたのさ。表示《ひょうじ》も消《け》し、エレベーターも停《と》まらないようにして、住人《じゅうにん》たちが入《はい》れないようにしたんだろうね」

真実《しんじつ》が答《こた》えると、桜田《さくらだ》もタブレットを見《み》ながらうなずく。

「オレも今《いま》、団地《だんち》の設計図《せっけいず》を見《み》て初《はじ》めて気《き》がつきました。しっかし、なんでまた、8階《かい》のフロアを丸《まる》ごと封印《ふういん》したりしたんすかね？」

「理由《りゆう》はたぶん、管理人《かんりにん》の古田《ふるた》さんに聞《き》けばわかると思《おも》いますよ」

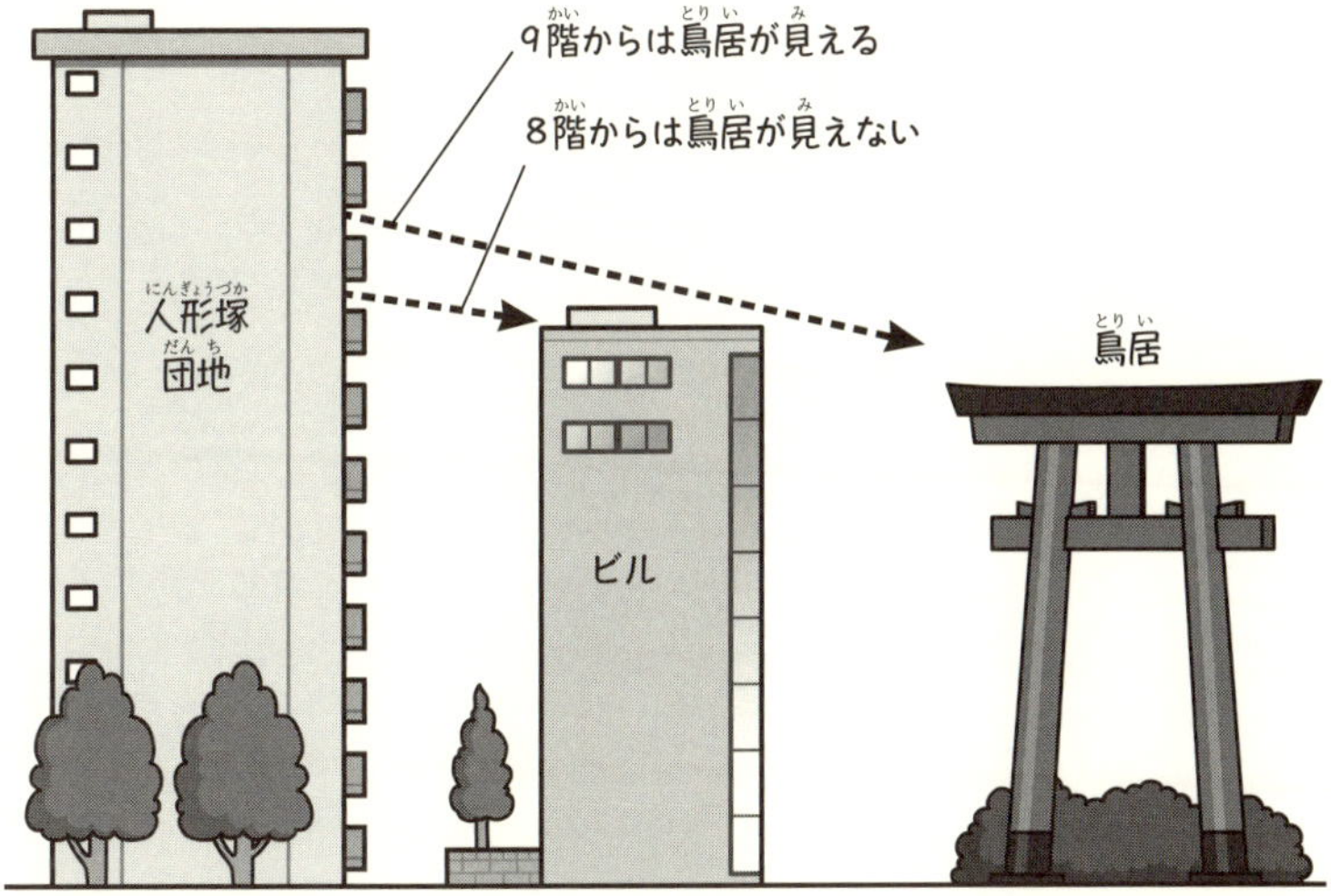
9階《かい》からは鳥居《とりい》が見《み》える
8階《かい》からは鳥居《とりい》が見《み》えない
人形塚《にんぎょうづか》
団地《だんち》
ビル
鳥居《とりい》

真実《しんじつ》は言《い》った。

4人《にん》は、ふたたびエレベーターで8階《かい》へと向《む》かった。そこでエレベーターを降《お》り、鍵《かぎ》を開《あ》けて非常階段《ひじょうかいだん》で9階《かい》へと上《あ》がる。「808」と書《か》かれたドアをノックすると、すぐにドアが開《ひら》き、古田老人《ふるたろうじん》が4人《にん》を迎《むか》えた。

真実《しんじつ》は、8階《かい》のフロアが〝隠《かく》し階《かい》〟になった理由《りゆう》をたずねる。

すると、古田老人《ふるたろうじん》はしばらく沈黙《ちんもく》したのち、口《くち》を開《ひら》いた。

「8階《かい》が封印《ふういん》されたのは……、ある不幸《ふこう》な事故《じこ》がきっかけだったんだ」

「その事故《じこ》とは、あなたの奥《おく》さんと娘《むすめ》さんが亡《な》くなった事故《じこ》のことですか？」

真実《しんじつ》がたずねると、古田老人《ふるたろうじん》は悲《かな》しげな顔《かお》でうなずく。そして、語《かた》り始《はじ》めた。

「あれは……30年前《ねんまえ》のことだった。当時《とうじ》、私《わたし》は会社勤《かいしゃづと》めでね。夜遅《よるおそ》く帰宅《きたく》すると、妻《つま》と娘《むすめ》が部屋《へや》の中《なか》で息絶《いきた》えていたんだよ。ガス漏《も》れ事故《じこ》だった。でも、この団地《だんち》の住人《じゅうにん》たちは、妻《つま》と娘《むすめ》の死《し》を『人形《にんぎょう》のたたりだ』なんてうわさしてねぇ……」

同《おな》じ8階《かい》にいた住人《じゅうにん》たちはみんな、たたりを恐《おそ》れて引《ひ》っ越《こ》してしまったという。

「そこでいっそのこと、8階《かい》そのものを『なくしてしまえ』って話《はなし》になったんだよ。無人化《むじんか》した8階《かい》があったのでは、住人《じゅうにん》たちはいやでも事故《じこ》のことを思《おも》い出《だ》す。封印《ふういん》してしまえば、うわさもそのうちおさまるだろうって、地神不動産《ちがみふどうさん》が一計《いっけい》を案《あん》じたってワケさ。私《わたし》も引《ひ》っ越《こ》そうかと思《おも》ったんだけど、どうしてもここを離《はな》れられなくてね。この団地《だんち》は……妻《つま》や娘《むすめ》との思《おも》い出《で》が詰《つ》まった場所《ばしょ》だからねぇ」

古田老人《ふるたろうじん》は、新《あら》たに808号室《ごうしつ》となった9階《かい》のこの部屋《へや》に移《うつ》り、管理人《かんりにん》として団地《だんち》に住《す》み続《つづ》けたという。

「以前《いぜん》、住《す》んでいた8階《かい》の808号室《ごうしつ》は、地神社長《ちがみしゃちょう》の許可《きょか》を得《え》て、団地《だんち》の敷地《しきち》で拾《ひろ》った人形《にんぎょう》の保管場所《ほかんばしょ》にさせてもらったんだ。すべては、亡《な》くなった娘《むすめ》のためさ。あの世《よ》に行《い》っても、人形《にんぎょう》の友《とも》だちがいれば寂《さび》しくないだろ？　捨《す》てられた人形《にんぎょう》たちにしても遊《あそ》び相手《あいて》の娘《むすめ》がいれば悲《かな》しみを忘《わす》れられる。けど、ほかの住人《じゅうにん》たちがあの部屋《へや》のことを知《し》ったら、みんな気味悪《きみわる》がるだろうからねぇ」

808号室《ごうしつ》を人知《ひとし》れず人形部屋《にんぎょうべや》として維持《いじ》していくためには、住人《じゅうにん》たちにそのことを秘密《ひみつ》にしておく必要《ひつよう》があったという。

「幸《さいわ》い、封印《ふういん》された8階《かい》にはエレベーターも停《と》まらず、非常口《ひじょうぐち》には鍵《かぎ》がかけられていてフロアからは行《い》けるが階段側《かいだんがわ》からは行《い》けないようになっていた。ここの住人《じゅうにん》たちは入《い》れ替《か》わりが激《はげ》しいから、この団地《だんち》に隠《かく》し階《かい》があることすら知《し》らない者《もの》がほとんどだしね」

古田老人《ふるたろうじん》は、それでも秘密《ひみつ》がバレないように細心《さいしん》の注意《ちゅうい》をはらい、封印《ふういん》された8階《かい》に行《い》くときは、住人《じゅうにん》たちが寝静《ねしず》まった夜中《よなか》だけにしていたという。

「そのとき、古田《ふるた》さんはエレベーターの設定《せってい》を変《か》えているんですよね？　操作《そうさ》は、どうされているんですか？」

真実《しんじつ》がたずねる。

「エレベーターの中《なか》に、特殊《とくしゅ》な工具《こうぐ》でしか開《あ》けられないスイッチがあるんだよ。そのスイッチを切《き》り替《か》えて8階《かい》のボタンを押《お》すと、エレベーターは元《もと》の8階《かい》に停《と》まり、この9階《かい》には停《と》まらなくなる」

ここまで話《はな》して、古田老人《ふるたろうじん》はハッと青《あお》ざめた。

「いかん！　おまえさん方《がた》が封印階《ふういんかい》やあの部屋《へや》のことを知《し》っているってことは、誰《だれ》かがエレベーターのスイッチを切《き》り替《か》えたってことだな!?」

「早《はや》いとこ元《もと》に戻《もど》さんと！」

古田老人《ふるたろうじん》は、工具《こうぐ》を手《て》に、そそくさと立《た》ち上《あ》がった。

古田老人《ふるたろうじん》が素早《すばや》く設定《せってい》を元《もと》に戻《もど》したので、エレベーターはふたたび8階《かい》には停《と》まらなくなった。非常階段《ひじょうかいだん》にも再《ふたた》び鍵《かぎ》がかけられ、住人《じゅうにん》たちにも人形部屋《にんぎょうべや》の秘密《ひみつ》は知《し》られずにすんだのだ。

ヨミ子《こ》や住人《じゅうにん》たちに対《たい》しては、「808号室《ごうしつ》を調《しら》べたけど、特《とく》に怪《あや》しい点《てん》はありませんでした」と、桜田《さくらだ》が告《つ》げ、とりあえず騒動《そうどう》は一件落着《いっけんらくちゃく》する。

「でも、事件《じけん》は解決《かいけつ》したわけじゃないのよね？　エレベーターの設定《せってい》を変《か》えて封印階《ふういんかい》に停《と》まるようにしたり、人形部屋《にんぎょうべや》に笑《わら》い声《ごえ》や、黒《くろ》いヘビの出《で》る盛《も》り塩《じお》をしくんだ人物《じんぶつ》がいるってことでしょ？　一体誰《いったいだれ》が、何《なん》のために、そんなことをしたのかしら？」

けげんな表情《ひょうじょう》でつぶやく美希《みき》に、健太《けんた》は言《い》った。

「住人《じゅうにん》たちを怖《こわ》がらせるためじゃないかな？」

「ただでさえ怖《こわ》がってる人《ひと》たちを、さらに怖《こわ》がらせようとするなんて……犯人《はんにん》はよっぽど性《せい》格《かく》がねじ曲《ま》がったヤツよね？　恐怖《きょうふ》をあおるっていったら……下沼《しもぬま》ヨミ子《こ》、あの人《ひと》、怪《あや》しくない？　彼女《かのじょ》は、人形部屋《にんぎょうべや》の秘密《ひみつ》を知《し》っていたんじゃないかしら？　あのメールにしても、元住人《もとじゅうにん》になりすまして、自分《じぶん》で自分《じぶん》に送《おく》ったのかもしれないわ」

しかし、真実《しんじつ》は口元《くちもと》に手《て》をあて、「さあ、どうだかね」と、言《い》った。

「スピーカーや盛《も》り塩《じお》の仕掛《しか》けは誰《だれ》にでも可能《かのう》だと思《おも》うけど、エレベーターの設定《せってい》まで変《か》えられるとなると……できる人間《にんげん》は限《かぎ》られてくるんじゃないかな」

4人《にん》が建物《たてもの》の外《そと》に出《で》たとき、あたりはすでに夕焼《ゆうや》けに包《つつ》まれていた。団地《だんち》の敷地《しきち》で遊《あそ》んでいた子《こ》どもたちは、「そろそろ帰《かえ》ろうか」などと声《こえ》をかけ合《あ》っている。

「この団地《だんち》って、子《こ》どもが多《おお》いんだね」

健太《けんた》がつぶやく。すると、真実《しんじつ》もうなずいた。

「この団地《だんち》は、すべての角《かど》が丸《まる》く削《けず》られていて、子《こ》どもがけがをしないように配慮《はいりょ》されてい

る。子《こ》どもにとっては、住《す》み心地《ごこち》のいい場所《ばしょ》なんだ」

そのとき、何《なに》げなく団地《だんち》に目《め》をやった真実《しんじつ》は、ハッと息《いき》をのんだ。

そこには、アンモナイトの紋章《もんしょう》が刻《きざ》まれていたのだ。

「この紋章《もんしょう》……女優《じょゆう》の家《いえ》や鏡《かがみ》の図書館《としょかん》にも刻《きざ》まれていたものだ」

「ひょっとして……」

真実《しんじつ》は、そうつぶやき、桜田《さくらだ》に向《む》き直《なお》る。

「ぼくは、ちょっと調《しら》べたいことがあるんで、これで失礼《しつれい》します」

「えっ……真実《しんじつ》くん、調《しら》べたいことって？」

健太《けんた》は問《と》いかけたが、真実《しんじつ》はすでにマントをひるがえし、走《はし》り出《だ》していた。

真実《しんじつ》がやってきたのは、いつも通《かよ》っている町営《ちょうえい》の図書館《としょかん》だった。

真実《しんじつ》は、そこで花森町《はなもりちょう》の建築史《けんちくし》を調《しら》べた。


「……そうか」

女優《じょゆう》の家《いえ》、
鏡《かがみ》の図書館《としょかん》、
そして、あの人形塚団地《にんぎょうづかだんち》……。

「三《みっ》つの建物《たてもの》は、すべて、一人《ひとり》の建築家《けんちくか》の手《て》によって建《た》てられたものだったんだ」

その建築家《けんちくか》の名《な》は、安東我宇《あんどうがう》――。
天才《てんさい》とうたわれながらも、
志半《こころざしなか》ばで病気《びょうき》のため亡《な》くなった非業《ひごう》の建築家《けんちくか》だった。

非業《ひごう》
災害《さいがい》や病気《びょうき》などの災難《さいなん》で思《おも》いがけない死《し》に方《かた》をすることを「非業《ひごう》の死《し》を遂《と》げる」という。

3

SCIENCE TRICK DATA FILE

科学《かがく》トリック データファイル

砂糖《さとう》と塩《しお》のちがい

砂糖《さとう》と塩《しお》は見《み》た目《め》はそっくりですが、味《あじ》だけでなく性質《せいしつ》もまったくちがいます。

塩《しお》は火《ひ》をつけても変化《へんか》しませんが、砂糖《さとう》は火《ひ》をつけると溶《と》けだします。この溶《と》けた砂糖《さとう》を使《つか》って綿《わた》あめやべっこうあめ、カルメ焼《や》きなどが作《つく》られます。

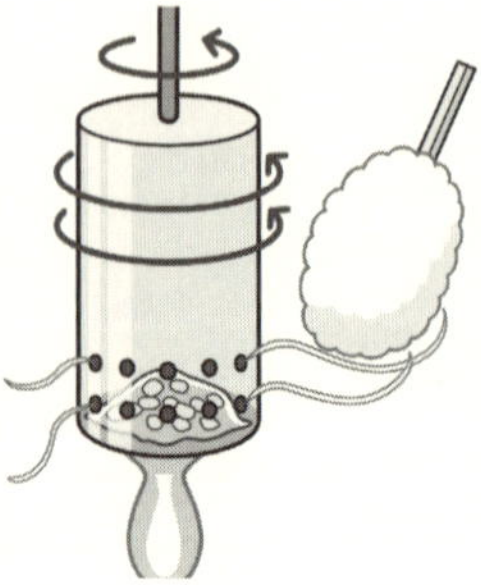

砂糖《さとう》を高温《こうおん》にすると、あめに変化《へんか》する

小《ちい》さな穴《あな》のあいた容器《ようき》にザラメという砂糖《さとう》を入《い》れて100度《ど》以上《いじょう》に熱《ねっ》する。
容器《ようき》を高速《こうそく》で回転《かいてん》させると穴《あな》から細《ほそ》く糸状《いとじょう》になった砂糖《さとう》が飛《と》び出《だ》してくる。
それを割《わ》りばしでまとめたものが綿《わた》あめだ。
さらに温《あたた》めると茶色《ちゃいろ》のあめになる。

また、角砂糖《かくざとう》に灰《はい》や重曹《じゅうそう》などをまぶして火《ひ》をつけると、溶《と》けださずに炎《ほのお》をあげて燃《も》えます。砂糖《さとう》は木《き》や鉛筆《えんぴつ》の芯《しん》と同《おな》じく炭《たん》素《そ》が主成分《しゅせいぶん》なのです。

砂糖《さとう》は塩《しお》にくらべて圧倒的《あっとうてき》に水《みず》に溶《と》けやすく、常温《じょうおん》でも水《みず》の倍以上《ばいいじょう》の重《おも》さの砂糖《さとう》が溶《と》けます。一方《いっぽう》で、塩《しお》が溶《と》けた水《みず》は電気《でんき》を通《とお》しますが、砂糖《さとう》が溶《と》けた水《みず》は電気《でんき》を通《とお》しません。

砂糖《さとう》を熱《ねっ》する温度《おんど》によって色《いろ》や味《あじ》も変《か》わるんだ

塩《しお》を高温《こうおん》にしても簡単《かんたん》には変化《へんか》しない

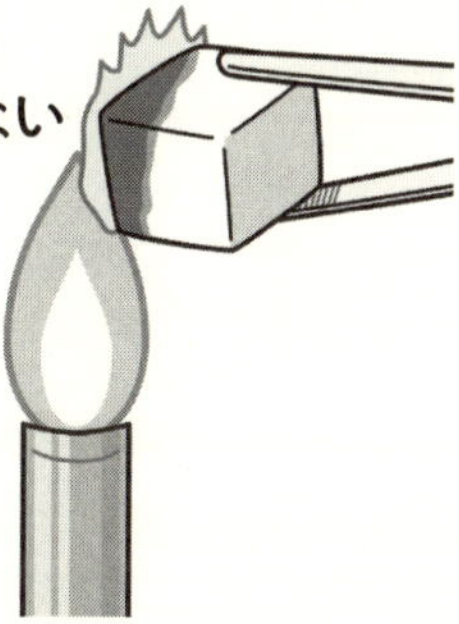

塩《しお》を溶《と》かすためには800度《ど》を超《こ》える高温《こうおん》が必要《ひつよう》だ。砂糖《さとう》は熱《ねっ》すると溶《と》けるが、灰《はい》や重曹《じゅうそう》、さらに塩《しお》などをまぶして火《ひ》をつけると、炎《ほのお》をあげて燃《も》えるようになる。

恐《きょう》怖《ふ》の館《やかた》4

恐《きょう》怖《ふ》の館《やかた》

人《ひと》が消《き》える地下《ちか》室《しつ》

「へえ、このおじいさんが、安東我宇《あんどうがう》さんなんだね」

ある日の休日《きゅうじつ》。真実《しんじつ》と健太《けんた》、美希《みき》の3人《にん》は図書館《としょかん》に集《あつ》まり、安東《あんどう》のことを調《しら》べていた。

花森町《はなもりちょう》で有名《ゆうめい》な建築家《けんちくか》ということもあって特集《とくしゅう》コーナーが設《もう》けられ、彼《かれ》のことが載《の》っている本《ほん》や雑誌《ざっし》がまとめて置《お》かれていた。

健太《けんた》は、雑誌《ざっし》のインタビューに答《こた》える安東《あんどう》の顔写真《かおじゃしん》を見《み》た。

ひげを生《は》やしていて、気難《きむずか》しそうな雰囲気《ふんいき》がある。

「いかにも、建築家《けんちくか》って感《かん》じがするね」

真実《しんじつ》は健太《けんた》の言葉《ことば》を聞《き》きながら、雑誌《ざっし》に書《か》かれていた記事《きじ》を読《よ》んだ。

　安東氏《あんどうし》は、どんな建物《たてもの》を設計《せっけい》するときでも、
同《おな》じテーマを持《も》っている。
それは、「心《こころ》が温《あたた》かくなれる場所《ばしょ》」である。

「心《こころ》が温《あたた》かくなれる場所《ばしょ》……」

真実《しんじつ》は、記事《きじ》の続《つづ》きを読《よ》んだ。

「私《わたし》は、家族《かぞく》をとても大事《だいじ》にしています。建物《たてもの》というのは、家族《かぞく》や大切《たいせつ》な人《ひと》と一緒《いっしょ》にいることができる空間《くうかん》です。心《こころ》が温《あたた》かくなれる場所《ばしょ》とは、そんな家族《かぞく》や大切《たいせつ》な人《ひと》が笑《え》顔《がお》になれる場《ば》所《しょ》のことなのです」

「へぇ〜、今《いま》まで見《み》てきた建物《たてもの》にはそんな意味《いみ》があったのね」

真実《しんじつ》の隣《となり》で記事《きじ》を読《よ》んでいた美希《みき》は、あらためて感心《かんしん》する。

そんななか、健太《けんた》は首《くび》をかしげた。

「だけど、どうして安東《あんどう》さんの設計《せっけい》した建物《たてもの》ばかりで、変《へん》なことが起《お》きるのかな？」

起《お》きた騒動《そうどう》のいくつかは、明《あき》らかに誰《だれ》かのしわざだった。

「何《なに》か理由《りゆう》があるはずだ……」

真実《しんじつ》はそう言《い》いながら、本《ほん》や雑誌《ざっし》をめくる。

するとふと、雑誌《ざっし》のあるページで目《め》が留《と》まった。

そこには、安東《あんどう》が家族《かぞく》について語《かた》っている記事《きじ》が書《か》かれていて、彼《かれ》と、彼《かれ》の一人娘《ひとりむすめ》の家族《かぞく》の写真《しゃしん》が載《の》っていた。

「これは……」

真実《しんじつ》は、その写真《しゃしん》をじっと見《み》つめた。

そのとき、桜田《さくらだ》が真実《しんじつ》たちのもとへやってきた。

「よかった〜。やっと見《み》つけたっす」

「桜田《さくらだ》さん、どうしたの？」

健太《けんた》がたずねると、桜田《さくらだ》は焦《あせ》った表情《ひょうじょう》になった。

「大変《たいへん》なことが起《お》きたっす。また、管理《かんり》している物件《ぶっけん》で騒動《そうどう》が起《お》きたんす」

「もしかして、安東《あんどう》さんの設計《せっけい》した家《いえ》ですか？」

「謎野《なぞの》くん、どうしてそれを？　騒動《そうどう》が起《お》きたのは、安東《あんどう》さんが設計《せっけい》した、彼《かれ》がかつて住《す》んでいた家《いえ》っすよ！」

「安東《あんどう》さんが住《す》んでいた家《いえ》!?」

健太《けんた》たちは驚《おどろ》く。

真実《しんじつ》は桜田《さくらだ》に、一連《いちれん》の騒動《そうどう》が、すべて安東《あんどう》の設計《せっけい》した建物《たてもの》で起《お》きていることを話《はな》した。

「そんな……、マジっすか」

桜田《さくらだ》は戸惑《とまど》いを隠《かく》せないようだ。

真実《しんじつ》たちは、桜田《さくらだ》とともに安東《あんどう》の住《す》んでいた家《いえ》へと向《む》かうことにした。


真実《しんじつ》たちは、花森町《はなもりちょう》の高台《たかだい》にある住宅地《じゅうたくち》にやってきた。

「あそこっす！」

桜田《さくらだ》が道路《どうろ》のつきあたりを指《ゆび》さすと、大《おお》きな家《いえ》の近《ちか》くに人《ひと》が集《あつ》まっていた。

そこにいた中年《ちゅうねん》の女性《じょせい》は、桜田《さくらだ》を見《み》つけると、そばに寄《よ》ってきた。

「あなた、地神不動産《ちがみふどうさん》の人《ひと》よね？」

「は、はい、そうっすけど」

「早《はや》く、この幽霊《ゆうれい》が出《で》る家《いえ》を何《なん》とかしてちょーだい！」

「幽霊《ゆうれい》が出《で》る??」

美希《みき》と健太《けんた》は同時《どうじ》に驚《おどろ》いた。

「桜田《さくらだ》さん、どういうことですか？」

真実《しんじつ》がたずねると、桜田《さくらだ》はばつが悪《わる》そうに、その説明《せつめい》をした。

ここは安東《あんどう》が長年《ながねん》住《す》んだ家《いえ》だった。

今《いま》は空《あ》き家《や》になっていて、地神不動産《ちがみふどうさん》が管理《かんり》をしている。

しかしそんな家《いえ》で先日《せんじつ》、幽霊《ゆうれい》を見《み》たという人《ひと》たちが何人《なんにん》も現《あらわ》れた。

夜遅《よるおそ》く、窓《まど》のそばに不気味《ぶきみ》なおじいさんが立《た》っていて、外《そと》を見《み》ていたというのだ。

桜田《さくらだ》は住民《じゅうみん》から連絡《れんらく》を受《う》け、地神社長《ちがみしゃちょう》とともに、家《いえ》を調《しら》べることにしたのだという。

「そこで、大変《たいへん》なことが起《お》きてしまったんっす」

「ほんとに幽霊《ゆうれい》がいたの？」

健太《けんた》の言葉《ことば》に、桜田《さくらだ》は首《くび》を小《ちい》さく横《よこ》に振《ふ》った。

「幽霊《ゆうれい》はたしかに目撃《もくげき》したらしいっす。だけどもっと恐《おそ》ろしいことが起《お》きて。

……地神《ちがみ》さんが、幽霊《ゆうれい》にさらわれちゃったんす」


「さらわれた??」

健太《けんた》と美希《みき》はまた同時《どうじ》に声《こえ》を出《だ》した。

桜田《さくらだ》の話《はなし》によると、

2人《ふたり》で家《いえ》の中《なか》をくわしく調《しら》べているとき、

地神《ちがみ》が2階《かい》で幽霊《ゆうれい》を見《み》たのだという。

「だけどそれだけじゃなくて、

1階《かい》を調《しら》べているとき、

地下《ちか》にある部屋《へや》のほうから

不気味《ぶきみ》なうなり声《ごえ》が聞《き》こえてきたっす」

「幽霊《ゆうれい》の声《こえ》が聞《き》こえたってこと?」と、健太《けんた》が聞《き》く。

「それを調《しら》べようと思《おも》って、地下《ちか》に下《お》りたんす。

すると、突然《とつぜん》壁《かべ》から手《て》が現《あらわ》れて、地神《ちがみ》さんをつかんで、

そのまま壁《かべ》の中《なか》に引《ひ》き込《こ》んだんっす!」

「そんな!」

地神《ちがみ》が幽霊《ゆうれい》にさらわれ、桜田《さくらだ》はパニックになったのだという。

そして、助《たす》けを呼《よ》ぼうと外《そと》に出《で》た。

「そうしたら、庭《にわ》に誰《だれ》かが倒《たお》れてて。近《ちか》づいてみると、なんと地神《ちがみ》さんだったんす」

幸《さいわ》い、けがはしていなかったのだという。

地神《ちがみ》もさらわれたときパニックになり、何《なに》も覚《おぼ》えていないらしい。

「それ以来地神《いらいちがみ》さん、あまりの恐怖《きょうふ》で寝込《ねこ》んじゃって」

桜田《さくらだ》はそんな地神《ちがみ》に頼《たの》まれ、この家《いえ》のことを任《まか》されたのだという。

一方《いっぽう》、それを聞《き》いた集《あつ》まっていた人々《ひとびと》は、次々《つぎつぎ》と声《こえ》をあげた。

「ほんとに恐《おそ》ろしい！　早《はや》くこの家《いえ》を取《と》り壊《こわ》すって決《き》めてちょーだい！」

「人《ひと》をさらう幽霊《ゆうれい》が出《で》る家《いえ》なんて、近所《きんじょ》にあるだけで不気味《ぶきみ》だからな」

彼《かれ》らは、家《いえ》を取《と》り壊《こわ》してほしいと思《おも》って集《あつ》まってきたようだ。

「みんな、ちょっと落《お》ち着《つ》いてください」

桜田《さくらだ》は彼《かれ》らを何《なん》とかなだめるが、このまま放《ほう》っておくことなどできない。

「謎野《なぞの》くん、安東《あんどう》さんは有名建築家《ゆうめいけんちくか》で、この家《いえ》も貴重《きちょう》な作品《さくひん》ではあるけれど、やっぱり取《と》り壊《こわ》すしかないっすよね？」

健太《けんた》は安東《あんどう》の家《いえ》を見《み》る。古《ふる》いが大《おお》きくて立派《りっぱ》な建物《たてもの》だ。取《と》り壊《こわ》すにはもったいないように思《おも》えた。何《なに》より、安東《あんどう》の設計《せっけい》というだけで価値《かち》がある。

「とにかく、調《しら》べてみましょう。少《すこ》し時間《じかん》をください」

桜田《さくらだ》は真実《しんじつ》の言葉《ことば》を聞《き》き、集《あつ》まった人々《ひとびと》に、もう一度《いちど》調《しら》べてから取《と》り壊《こわ》すかどうか決《き》めることを伝《つた》えて、彼《かれ》らを落《お》ち着《つ》かせた。

人々《ひとびと》が見守《みまも》るなか、真実《しんじつ》たちは、さっそく家《いえ》の中《なか》を調《しら》べることにした。

「わ、けっこう暗《くら》いわね」

美希《みき》がつぶやく。家《いえ》の中《なか》は電気《でんき》が通《とお》っておらず、薄暗《うすぐら》かった。かなり古《ふる》い建物《たてもの》で、歩《ある》くたびに床《ゆか》がギシギシときしむ音《おと》がする。ほこりもうっすら積《つ》もっていて、長《なが》い間《あいだ》、人《ひと》が住《す》んだ形跡《けいせき》はなかった。

「安東《あんどう》さんが亡《な》くなって、何年《なんねん》も経《た》つものね」

「それ以来《いらい》、誰《だれ》も住《す》んでなかったっす」

「桜田《さくらだ》さん、幽霊《ゆうれい》はどこの窓《まど》から見《み》えていたんですか？」

「2階《かい》の廊下《ろうか》の窓辺《まどべ》らしいっす。外《そと》をうらめしそうに見《み》てたらしくて」

「なるほど。では、まずはそこから見《み》てみましょう」

一同《いちどう》は、階段《かいだん》を上《あ》がることにした。

「なんか、ぼく怖《こわ》いよ。窓辺《まどべ》に立《た》っていたのは、おじいさんだったんだよね。それって、安《あん》東《どう》さんの幽霊《ゆうれい》じゃないのかな？」

健太《けんた》は、本《ほん》に載《の》っていた安東《あんどう》の写真《しゃしん》を思《おも》い出《だ》した。

「可能性《かのうせい》はあるわよね。みんなに、この家《いえ》も素晴《すば》らしいだろ～とか言《い》おうとしているのかも」

美希《みき》の言葉《ことば》に、健太《けんた》はうなずく。

やがて、階段《かいだん》を上《あ》がり、幽霊《ゆうれい》がいたという2階《かい》の廊下《ろうか》にやってきた。

真実《しんじつ》たちはあたりを確認《かくにん》してみるが、とくに変《か》わったところはなさそうだ。

「幽霊《ゆうれい》だから、夜《よる》にならないと出《で》てこないのかも」

今《いま》はまだ昼間《ひるま》だ。健太《けんた》はおびえながら言《い》う。

真実《しんじつ》はふと、桜田《さくらだ》のほうに顔《かお》を向《む》けた。

「地神《ちがみ》さんも、2階《かい》で幽霊《ゆうれい》を見《み》たんですよね？」

「そうっす。廊下《ろうか》を歩《ある》くひげを生《は》やした幽霊《ゆうれい》を一瞬《いっしゅん》見《み》たらしくて、地神《ちがみ》さん、あわてて1階《かい》に下《お》りてきたっす」

「見《み》たらしくて？　桜田《さくらだ》さんは見《み》てないんですか？」

「オレっすか？　オレはそのとき1階《かい》にいたっす」

「そうなんですね。じゃあ地下《ちか》の部屋《へや》で地神《ちがみ》さんが幽霊《ゆうれい》にさらわれたときは？」

「地下《ちか》には部屋《へや》がいくつかあって、オレは別《べつ》の部屋《へや》にいたっす。地神《ちがみ》さんの悲鳴《ひめい》が聞《き》こえて、あわてて助《たす》けに行《い》ったけど、もう部屋《へや》の中《なか》にはいなくて」

「なるほど。それで助《たす》けを呼《よ》ぼうと外《そと》に出《で》たら、庭《にわ》に地神《ちがみ》さんが倒《たお》れていたんですね」

桜田《さくらだ》は「そうっす」と答《こた》えた。真実《しんじつ》は口元《くちもと》に手《て》をあてて何《なに》かを考《かんが》えている。

「ひとまず、地神《ちがみ》さんがさらわれた地下《ちか》の部屋《へや》に行《い》ってみましょう」

真実《しんじつ》はそう言《い》うと、桜田《さくらだ》を先頭《せんとう》に地下《ちか》の部屋《へや》へ行《い》くことにした。

1階《かい》の廊下《ろうか》の端《はし》に、地下《ちか》へ続《つづ》く階段《かいだん》があった。階段《かいだん》を下《お》りると、地下《ちか》の入《い》り口《ぐち》に棚《たな》があり、ゴーグルとマスクがいくつか置《お》かれていた。

「地下《ちか》では、これをつけるといいっす」

桜田《さくらだ》は、それを1セットずつ真実《しんじつ》たちに渡《わた》した。

「地下《ちか》を見《み》るときのために、用意《ようい》してたんすよ。謎野《なぞの》くんと青井《あおい》さんはこれ。あ、宮下《みやした》くんはこれを」

安東《あんどう》が亡《な》くなって以来《いらい》、家《いえ》には誰《だれ》も住《す》んでおらず、地《ち》下《か》はほこりだらけだという。安全《あんぜん》のために、ゴーグルとマスクを置《お》いているらしい。

「ほこりが目《め》や口《くち》に入《はい》るのはいやだもんねぇ」

健太《けんた》と美希《みき》は、少《すこ》し色《いろ》のついたゴーグルとマスクをつける。真実《しんじつ》も周《まわ》りを見渡《みわた》しながら、装着《そうちゃく》した。

「じゃあ、地下《ちか》の部屋《へや》を案内《あんない》するっす」

ゴーグルとマスク姿《すがた》の桜田《さくらだ》が、部屋《へや》を案内《あんない》する。

地下《ちか》には窓《まど》がなく、かなり暗《くら》い。1階《かい》に続《つづ》く出入《でい》り口《ぐち》は、先《さき》ほど下《お》りてきた階段《かいだん》のところだけである。

部屋《へや》は四《よっ》つあり、真実《しんじつ》たちは桜田《さくらだ》に案内《あんない》され、最初《さいしょ》の部屋《へや》に入《はい》った。

「うわ～、なにこれ??」

10畳《じょう》ほどの広《ひろ》さがある部屋《へや》の中《なか》に、無数《むすう》のオモチャが置《お》かれていた。

「まるでオモチャ箱《ばこ》ね」

美希《みき》が戸惑《とまど》いながら言《い》う。

「安東《あんどう》さんがどういう目的《もくてき》でこの部屋《へや》を作《つく》ったのかはわからないっす。次《つぎ》の部屋《へや》もそうなんすけど」

「次《つぎ》の部屋《へや》も？」

桜田《さくらだ》は、真実《しんじつ》たちを隣《となり》の部屋《へや》に案内《あんない》した。

隣《となり》の部屋《へや》も、同《おな》じぐらいの大《おお》きさだった。そこに置《お》かれているものを見《み》て、健太《けんた》と美希《みき》は驚《おどろ》く。

なんと、部屋《へや》の中《なか》に、すべり台《だい》とブランコが設《せっ》置《ち》されていたのだ。

さらに、次《つぎ》の部屋《へや》を見《み》てみる。広《ひろ》さは同《おな》じぐらいだが、ものはまったく置《お》かれていない。代《か》わりに、壁《かべ》にジャングルが描《えが》かれ、動物《どうぶつ》の絵《え》がいくつもあった。

「すごい。だけどほんとに何《なん》なんだろう?」

健太《けんた》は首《くび》をかしげる。なぜ地下《ちか》にこのような部屋《へや》があるのか、まったく意味《いみ》がわからなかったのだ。

「次《つぎ》の部屋《へや》が、地神《ちがみ》さんが壁《かべ》に引《ひ》き込《こ》まれた場所《ばしょ》っす」

桜田《さくらだ》は、いちばん端《はし》の部屋《へや》の前《まえ》に立《た》つと、真実《しんじつ》たちにそう言《い》った。

壁《かべ》から手《て》が出《で》てきた部屋《へや》だ。健太《けんた》と美希《みき》はごくりとつばをのみ込《こ》む。

桜田《さくらだ》は慎重《しんちょう》にドアを開《あ》けた。

「えっ!?」

目《め》の前《まえ》に、夜空《よぞら》が広《ひろ》がった。しかし、外《そと》ではない。壁《かべ》も天井《てんじょう》も床《ゆか》も黒《くろ》く塗《ぬ》られていて、無数《むすう》の星《ほし》が描《えが》かれている部屋《へや》だったのだ。

「きれ〜い」

「まるで夜空《よぞら》の下《した》にいるみたいだねぇ」

健太《けんた》たちは思《おも》わず見《み》とれる。そんな彼《かれ》らをよそに、桜田《さくらだ》は部屋《へや》の隅《すみ》の壁《かべ》を指《ゆび》さした。

「地神《ちがみ》さんは、あのあたりで幽霊《ゆうれい》にさらわれたらしいっす」

「あそこで……」

真実《しんじつ》は、薄暗《うすぐら》い部屋《へや》の中《なか》を歩《ある》き、地神《ちがみ》が消《き》えたという壁《かべ》の前《まえ》に向《む》かう。健太《けんた》たちもおびえながら続《つづ》く。

一同《いちどう》は、壁《かべ》の前《まえ》までやってくると、黒《くろ》い壁《かべ》をじっと見《み》つめた。

「ここから、手《て》が伸《の》びてきたってことなんですね」

真実《しんじつ》は壁《かべ》を触《さわ》るが、異変《いへん》はないようだ。

「謎野《なぞの》くん、何《なに》かわかったっすか？」

「いえ、今《いま》のところは」

「そうっすか。とりあえず、1階《かい》に戻《もど》るっす。ゴーグルとマスクをしているからといっても、ここはほこりだらけだから、長《なが》くいないほうがいいっすからね」

桜田《さくらだ》にそう言《い》われ、真実《しんじつ》たちは黒《くろ》い部屋《へや》から出《で》た。

「ひいいい！」

桜田《さくらだ》の声《こえ》が響《ひび》いた。

見《み》ると、桜田《さくらだ》がいない。

「さっきの部屋《へや》から声《こえ》がしたわよ！」

桜田《さくらだ》はまだ黒《くろ》い部屋《へや》の中《なか》にいるようだ。真実《しんじつ》たちは、あわてて部屋《へや》に戻《もど》った。


「あっ！」


部屋《へや》の隅《すみ》に、靴《くつ》が片方《かたほう》だけ落《お》ちている。

「これって！」

桜田《さくらだ》が履《は》いていた靴《くつ》だ。落《お》ちているのは、あの壁《かべ》の前《まえ》だ。

「桜田《さくらだ》さんはどこなの？」


「まさか、幽霊《ゆうれい》にさらわれたんじゃ??」


そう言《い》った健太《けんた》は、壁《かべ》のほうを見《み》て、息《いき》をのんだ。

先《さき》ほどまで壁《かべ》があった場所《ばしょ》に、誰《だれ》かが立《た》っている。

桜田《さくらだ》ではない。そこにいたのは、不気味《ぶきみ》な男《おとこ》だった。

「ひっ！」

幽霊《ゆうれい》だ。健太《けんた》は思《おも》わず声《こえ》をあげそうになる。と、真実《しんじつ》と美希《みき》が健太《けんた》のほうを見《み》た。

「健太《けんた》くん、そこの壁《かべ》に何《なに》かあったのかい？」

「えっ？」

真実《しんじつ》と美希《みき》は、健太《けんた》のうしろにある壁《かべ》を見《み》ている。だがなぜか幽霊《ゆうれい》は見《み》えていないようだ。２人《ふたり》はそのまま落《お》ちている桜田《さくらだ》の靴《くつ》を見《み》ると、チェックしはじめた。

健太《けんた》はぼう然《ぜん》とする。

「そんな、どうして？」

男《おとこ》の幽霊《ゆうれい》はたしかにいるのだ。この館《やかた》の主《あるじ》であった安東《あんどう》の幽霊《ゆうれい》かもしれない。

「まさか、見《み》えたのはぼくだけ⁇　――調《しら》べてみなきゃ」

健太《けんた》は、意《い》を決《けっ》して、壁《かべ》に近《ちか》づいた。

瞬間《しゅんかん》、部屋中《へやじゅう》に不気味《ぶきみ》な声《こえ》が響《ひび》いた。

うなり声《ごえ》だ。
「何《なん》なのこの声《こえ》⁉」
健太《けんた》は恐怖《きょうふ》を感《かん》じ、
真実《しんじつ》のそばに
行《い》こうとする。

ガシッ

だが突然《とつぜん》、背後《はいご》から
誰《だれ》かに肩《かた》をつかまれた。
健太《けんた》は戸惑《とまど》いながら、振《ふ》り返《かえ》る。

するとなんと、
壁《かべ》の中《なか》から不気味《ぶきみ》な手《て》が
伸《の》びていた。

「うわああ！」

次《つぎ》の瞬間《しゅんかん》、健太《けんた》は
真《ま》っ黒《くろ》な壁《かべ》の中《なか》に引《ひ》き込《こ》まれた。

「健太《けんた》くん！」

真実《しんじつ》と美希《みき》は、健太《けんた》のもとへ駆《か》け寄《よ》る。

「健《けん》太《た》くん、返事《へんじ》をするんだ！」

真実《しんじつ》は健太《けんた》が引《ひ》き込《こ》まれた壁《かべ》に手《て》を伸《の》ばす。

ドンッと音《おと》がして、壁《かべ》に手《て》が当《あ》たった。

「壁《かべ》がある」

「そんなの当《あ》たり前《まえ》でしょ」

ウゥウゥ　ウウゥゥゥ

うなり声《ごえ》が小《ちい》さくなっていき、
やがて消《き》えた。

「健太《けんた》くん、ねぇ、健太《けんた》くん！」

美希《みき》は必死《ひっし》に叫《さけ》ぶが、返事《へんじ》はない。

一方《いっぽう》、真実《しんじつ》はあたりを見回《みまわ》した。

「これは……」

健太《けんた》が消《き》えた壁《かべ》の横《よこ》に、アンモナイトの紋章《もんしょう》がある。安東《あんどう》の手《て》がけた建物《たてもの》にいつもあった紋章《もんしょう》だ。

だがなぜか、紋章《もんしょう》の外枠《そとわく》に『↻』という矢印《やじるし》がついている。

「矢印《やじるし》のある紋章《もんしょう》……」

とそのとき、桜田《さくらだ》が部屋《へや》に駆《か》け込《こ》んできた。

「みんな、大丈夫《だいじょうぶ》っすか!?」

「桜田《さくらだ》さん、無事《ぶじ》だったのね！」

「急《きゅう》に不気味《ぶきみ》な手《て》につかまれて。それで壁《かべ》の中《なか》に引《ひ》きずり込《こ》まれたっす。気《き》づくと、庭《にわ》にいて」

「庭《にわ》？　それって地神《ちがみ》さんがさらわれたときと同《おな》じよね？　もしかしたら健太《けんた》くんも」

真実《しんじつ》たちは、庭《にわ》へ向《む》かおうと部屋《へや》を飛《と》び出《だ》した。

「あ、ゴーグルとマスクは外《はず》したほうがいいっす！」

「あ、そうね！」

3人《にん》ともゴーグルとマスクを外《はず》すと、庭《にわ》へと走《はし》った。

「健太《けんた》くん！」

庭《にわ》に駆《か》けつけると、健太《けんた》が倒《たお》れていた。

「う、う〜ん……」

どうやら無事《ぶじ》のようだ。

「健太《けんた》くん、大丈夫《だいじょうぶ》??」

「うん、大丈夫《だいじょうぶ》だけど……、そうだ、幽霊《ゆうれい》が壁《かべ》の中《なか》にいたんだよ！　それで思《おも》い切《き》って近《ちか》づいてみたら、うなり声《ごえ》がしてつかまって。それで、そのまま真《ま》っ黒《くろ》な壁《かべ》の中《なか》を移動《いどう》して、気《き》づいたらここにいたんだ」

「壁《かべ》の中《なか》を移動《いどう》？」

真実《しんじつ》は、その言葉《ことば》に引《ひ》っかかる。

「幽霊《ゆうれい》？　本当《ほんとう》に幽霊《ゆうれい》がいたの？」

美希《みき》は首《くび》をひねる。一同《いちどう》は、家《いえ》の外《そと》に出《で》た。

「幽霊《ゆうれい》に壁《かべ》の中《なか》に引《ひ》きずり込《こ》まれたですって??」

家《いえ》の外《そと》。桜田《さくらだ》から騒動《そうどう》を聞《き》き、集《あつ》まっていた人々《ひとびと》は口々《くちぐち》に叫《さけ》ぶ。

「やっぱりこの家《いえ》は取《と》り壊《こわ》すべきだ！」

「そのとおりよ、早《はや》く決《き》めて！」

人々《ひとびと》は桜田《さくらだ》に迫《せま》る。

「そうっすよね。それしかないっすよね……」

桜田《さくらだ》は地神《ちがみ》と相談《そうだん》し、取《と》り壊《こわ》しの手続《てつづ》きを取《と》ることを彼《かれ》らに話《はな》した。

「ねえ、健太《けんた》くんをさらったのは、本当《ほんとう》に幽霊《ゆうれい》なの？」

「ぼくは確《たし》かに幽霊《ゆうれい》を見《み》たし、さらわれたんだよ！　この家《いえ》、放《ほう》っておいたら危険《きけん》だよ」

語気《ごき》をつよめる健太《けんた》に、美希《みき》も考《かんが》え込《こ》んでしまう。

そんな彼《かれ》らのもとに、いつの間《ま》にかいなくなっていた真実《しんじつ》がやってきた。

「あれ、真実《しんじつ》くん、どこに行《い》ってたの？」

「家《いえ》の中《なか》だよ。ちょっと、調《しら》べたいことがあってね」

真実《しんじつ》は、一同《いちどう》を見渡《みわた》した。

「家《いえ》は、取《と》り壊《こわ》す必要《ひつよう》はないと思《おも》います」

「どういうことっすか？」

「もう一度《いちど》、あの地下《ちか》の部屋《へや》を調《しら》べて、あることがわかったんです」

「あること??」

真実《しんじつ》は、健太《けんた》と美希《みき》、そして桜田《さくらだ》を、家《いえ》の中《なか》に案内《あんない》した。

「ねぇ、真実《しんじつ》くん、何《なに》がわかったの？」

そう美希《みき》がたずねる。真実《しんじつ》たちは、健太《けんた》がさらわれた部屋《へや》にやってきた。

「ここにはいないほうがいいよ。また幽霊《ゆうれい》が出《で》てきちゃうよ」

健太《けんた》はおびえるが、真実《しんじつ》は平然《へいぜん》としていた。

「健太《けんた》くんを捕《つか》まえたあの手《て》は、幽霊《ゆうれい》なんかじゃないよ」

「えっ？」

真実《しんじつ》は、先《さき》ほど健太《けんた》がつかまれ、引《ひ》き込《こ》まれた壁《かべ》の前《まえ》に立《た》った。

「ここに、アンモナイトの紋章《もんしょう》があるだろう？」

「え、あ、ほんとだ！」

健太《けんた》はおびえながらも、壁《かべ》の横《よこ》にある紋章《もんしょう》を見《み》つめた。

「この紋章《もんしょう》は、安東《あんどう》さんのつくった建物《たてもの》に必《かなら》ずついていた。

だけど、ここの紋章《もんしょう》は少《すこ》し違《ちが》っているんだ。ほら、ここを見《み》て」

真実《しんじつ》は、紋章《もんしょう》の上《うえ》にある『C』を指《ゆび》さした。

「こんなの、ほかの建物《たてもの》にあった紋章《もんしょう》にはなかったような……」

「矢印《やじるし》にどういう意味《いみ》があるのかしら？」

「これは、『紋章《もんしょう》をその方向《ほうこう》に回《まわ》せ』っていう意味《いみ》だよ」

そう言《い》うと、真実《しんじつ》は紋章《もんしょう》を矢印《やじるし》の方向《ほうこう》に回《まわ》した。

瞬間《しゅんかん》、ゴゴゴゴッと音《おと》がして、目《め》の前《まえ》の壁《かべ》に穴《あな》が開《あ》いた。

「何《なん》なの、これ⁉」

「この壁《かべ》は、『隠《かく》し扉《とびら》』になってたんだ」

「隠《かく》し扉《とびら》??」

健太《けんた》と美希《みき》は、目《め》をパチクリさせる。

「さっき、健太《けんた》くんが『壁《かべ》の中《なか》を移動《いどう》して』と言《い》っただろう。それで中《なか》に隠《かく》し通路《つうろ》があると思《おも》ったんだ。扉《とびら》の向《む》こうはL字《エルじ》に曲《ま》がっていて、細《ほそ》い通路《つうろ》になっていたよ」

「通路《つうろ》の先《さき》は、庭《にわ》につながっていたんだ」

庭《にわ》は、健太《けんた》が連《つ》れ去《さ》られて、出《で》てきた場所《ばしょ》だ。

「おそらく、健太《けんた》くんを隠《かく》し通路《つうろ》に引《ひ》き込《こ》んだ人物《じんぶつ》は、引《ひ》き込《こ》んだ後《あと》、中《なか》から壁《かべ》の扉《とびら》を閉《と》じたんだ。中《なか》にも開閉用《かいへいよう》の装置《そうち》がついていたからね。そしてその結果《けっか》、ぼくが健太《けんた》くんを助《たす》けようとして手《て》を伸《の》ばしたときには、閉《と》じた壁《かべ》の扉《とびら》に手《て》が当《あ》たって進《すす》めなかったんだ」

美希《みき》はそれを聞《き》き、そのときの状況《じょうきょう》を思《おも》い出《だ》した。

隠《かく》し扉《とびら》のトリック

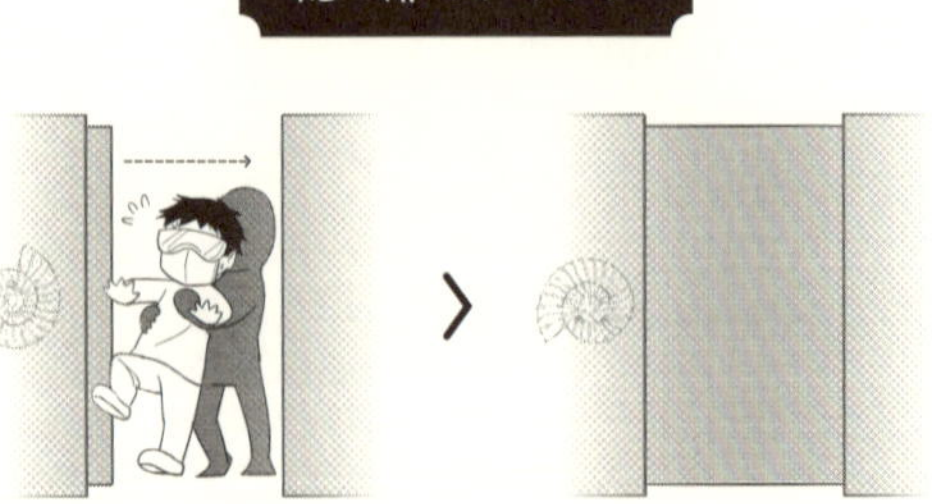

「まさか、壁《かべ》が開《あ》いてすぐに閉《と》じたなんて……。だけど今《いま》、壁《かべ》を開《あ》けたとき、ゴゴゴゴッて音《おと》がしたわよね？　健太《けんた》くんがさらわれたとき、そんな音《おと》はしてなかったわよ？」

すると、真実《しんじつ》がにやりと笑《わら》った。

「あのとき、うなり声《ごえ》が響《ひび》き渡《わた》っていただろう。あの声《こえ》は、おそらくどこかに設置《せっち》されているスピーカーから流《なが》れていたんだ。あの声《こえ》で壁《かべ》の開閉音《かいへいおん》をごまかしていたんだよ」

「なるほど、そういうことだったのね」

「健太《けんた》くんを捕《と》らえた人物《じんぶつ》は、隠《かく》し通路《つうろ》を通《とお》り、庭《にわ》に出《で》た。そこで健太《けんた》くんを解放《かいほう》した。健《けん》太《た》くんに、自分《じぶん》は幽霊《ゆうれい》にさらわれたと思《おも》わせるためにね」

「そうだったんだ」

健太《けんた》は幽霊《ゆうれい》のしわざではないと知《し》り、少《すこ》しだけホッとする。

だがすぐに、ある疑問《ぎもん》を抱《いだ》いた。

「あ、でも、ぼくは確《たし》かに幽霊《ゆうれい》を見《み》たんだよ！　不気味《ぶきみ》なおじいさんで、この壁《かべ》に浮《う》かび上《あ》がっていて。真実《しんじつ》くんたちには見《み》えなかったみたいだから、ぼくが勇気《ゆうき》を出《だ》して近《ちか》づいてみたんだよ。そうしたら、急《きゅう》に壁《かべ》の中《なか》から手《て》が現《あらわ》れて……」

美希《みき》が口《くち》をはさむ。

「ほんとに幽霊《ゆうれい》なんかいたの？　私《わたし》もおなじ壁《かべ》を見《み》ていたけど、幽霊《ゆうれい》なんかいなかったわ。何《なに》もない黒《くろ》い壁《かべ》しか見《み》えていなかったもの」

「そんな！　……だけど、それってぼくだけに見《み》える幽霊《ゆうれい》がいたってことかも。隠《かく》し扉《とびら》のほうにぼくを誘《さそ》い込《こ》もうとして、ぼくだけに見《み》えるように現《あらわ》れたんだ」

健太《けんた》は震《ふる》える。

だが、2人《ふたり》のやりとりを聞《き》いていた真実《しんじつ》はほほ笑《え》み、口《くち》を開《ひら》いた。

「健太《けんた》くんだけに見《み》えて、ぼくや美希《みき》さんには見《み》えない幽霊《ゆうれい》……。なるほど。科学《かがく》で解《と》けないナゾはない。トリックがわかったよ。健太《けんた》くんは、ぼくたちと違《ちが》う条件《じょうけん》で壁《かべ》を見《み》ていたんだ。それがヒントだ」

「え、違《ちが》う条件《じょうけん》でって？」

解《かい》決《けつ》編《へん》

真実《しんじつ》は、健太《けんた》たちに話《はな》し始《はじ》めた。

「あのときつけていて、今《いま》はつけていないものがあるだろう？」

「つけていたもの？」

健太《けんた》と美希《みき》は互《たが》いの顔《かお》を見《み》た。

「あ、ゴーグルとマスクだ」

「そう。重要《じゅうよう》なのは、そのゴーグルだったんだ」

真実《しんじつ》は壁《かべ》のほうを見《み》る。

「説明《せつめい》をする前《まえ》にまず、ぼくは隠《かく》し扉《とびら》の中《なか》にこんなものを見《み》つけたよ。きっとこういうものがあると思《おも》ったんだ」

真実《しんじつ》は隠《かく》し扉《とびら》の中《なか》から、ガラスのような板《いた》を取《と》り出《だ》し、健太《けんた》たちに見《み》せた。

板《いた》の裏《うら》には、男《おとこ》の絵《え》が貼《は》られている。

「あ！　それってぼくが見《み》た幽霊《ゆうれい》だ！　なんだ、絵《え》だったんだ……」

健太《けんた》は、胸《むね》をなでおろした。

美希《みき》が不思議《ふしぎ》そうにたずねる。

「でも、同《おな》じところを見《み》ていたのになんで私《わたし》にはその絵《え》が見《み》えなかったの？」

真実《しんじつ》は、美希《みき》にゴーグルを渡《わた》した。

「これは、美希《みき》さんがつけていたゴーグルだよ。それをつけてこの板《いた》を見《み》てごらん」

美希《みき》はゴーグルごしに、板《いた》を見《み》た。

「ああっ!!」

板《いた》は真《ま》っ黒《くろ》になり、幽霊《ゆうれい》は見《み》えなくなった。

「どうなってるの？」

ゴーグルを外《はず》すと、幽霊《ゆうれい》の絵《え》が見《み》える。

「次《つぎ》は、健太《けんた》くんがつけていたゴーグルだ」

美希《みき》は健太《けんた》のゴーグルをつけて、ふたたび板《いた》を見《み》た。

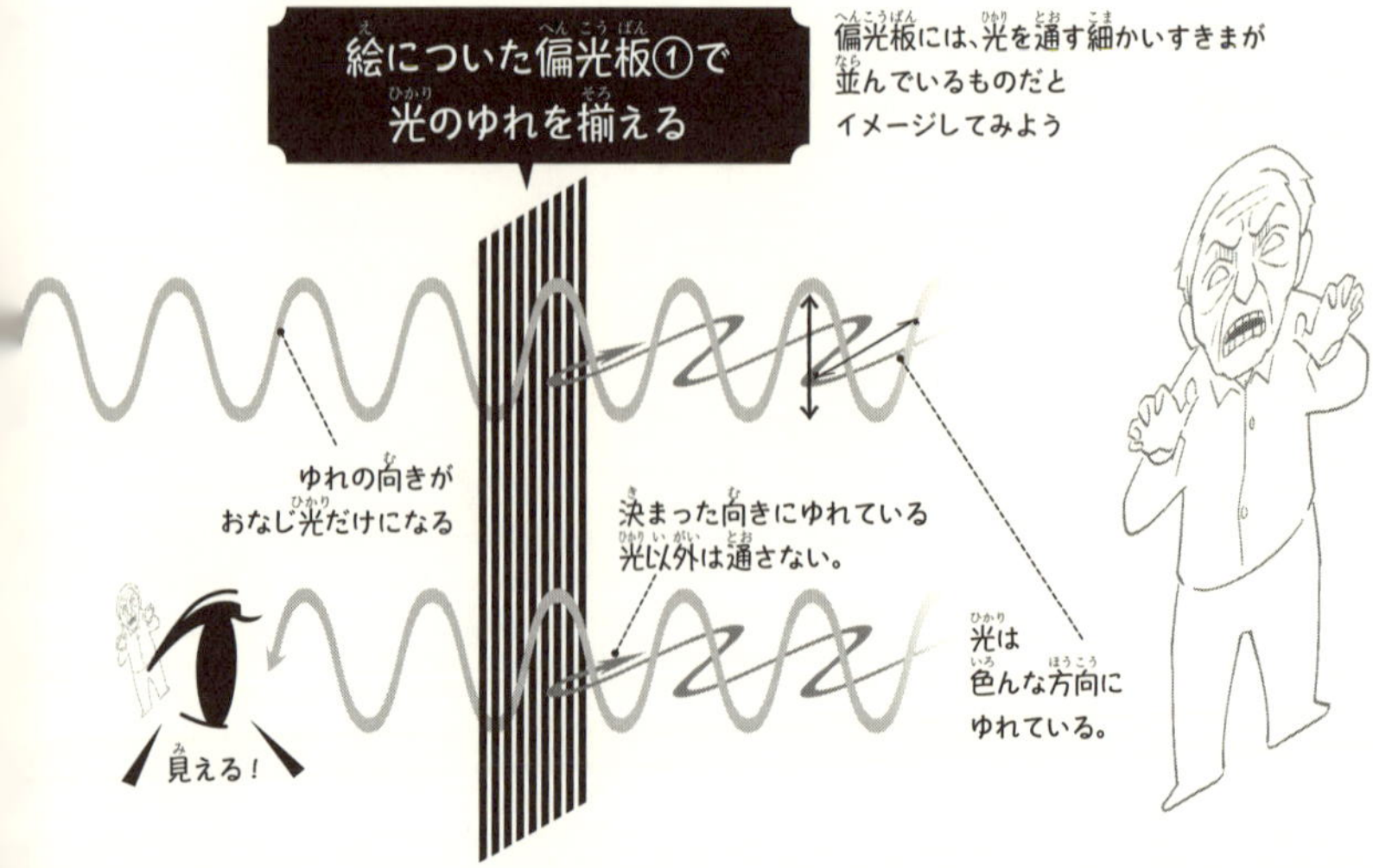

絵《え》についた偏光板《へんこうばん》①で光《ひかり》のゆれを揃《そろ》える
偏光板《へんこうばん》には、光《ひかり》を通《とお》す細《こま》かいすきまが並《なら》んでいるものだとイメージしてみよう
ゆれの向《む》きがおなじ光《ひかり》だけになる
決《き》まった向《む》きにゆれている光以外《ひかりいがい》は通《とお》さない。
光《ひかり》は色《いろ》んな方向《ほうこう》にゆれている。
見《み》える！

「あ！　今度《こんど》は幽霊《ゆうれい》の絵《え》が見《み》えるわ！」

「そう、ぼくらと健太《けんた》くんのつけていたゴーグルには違《ちが》いがあった。ぼくらのゴーグルには、『偏光板《へんこうばん》』が使《つか》われていたんだ」

「偏光板《へんこうばん》？　それって何《なん》なの？」

美希《みき》にたずねられ、真実《しんじつ》は説明《せつめい》をはじめた。

「ものが見《み》えるというのは、光《ひかり》を目《め》でとらえるということだ。実《じつ》は、光《ひかり》はいろいろな方向《ほうこう》にゆれている波《なみ》が混《ま》ざったものなんだよ。偏光板《へんこうばん》は、ある決《き》まった向《む》きの光《ひかり》の波《なみ》だけを通《とお》し、それ以外《いがい》は通《とお》さない板《いた》のことなんだ。この絵《え》が貼《は》られている板《いた》は偏光板《へんこうばん》①で、ぼくと美希《みき》さんのゴーグルにはもうひとつの偏光板《へんこうばん》②が貼《は》られていた。この2つの偏光板《へんこうばん》は、向《む》きが違《ちが》っていた」

「そうすると……、あ、ゴーグルを通《とお》すと絵《え》が貼《は》られている板《いた》は真《ま》っ黒《くろ》に見《み》えるのか！」

「そう。ぼくと美希《みき》さんのゴーグルに貼《は》られていた偏光板《へんこうばん》は、絵《え》が貼《は》られていた偏光板《へんこうばん》と重《かさ》ね合《あ》わせると光《ひかり》を通《とお》さないような向《む》きになっていたんだろうね。健太《けんた》くんのゴーグルには偏《へん》

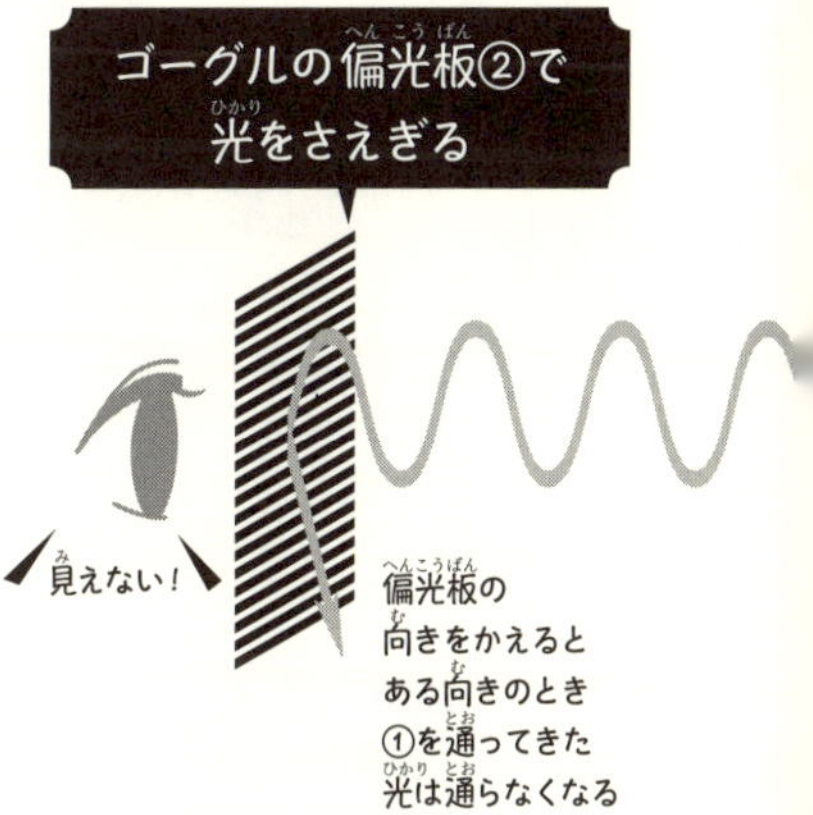
ゴーグルの偏光板《へんこうばん》②で
光《ひかり》をさえぎる
見《み》えない！
偏光板《へんこうばん》の
向《む》きをかえると
ある向《む》きのとき
①を通《とお》ってきた
光《ひかり》は通《とお》らなくなる

光板《こうばん》が貼《は》られていなかったから、絵《え》が普《ふ》通《つう》に見《み》えた。これが、健太《けんた》くんには見《み》えてぼくたちには見《み》えなかった幽霊《ゆうれい》のトリックだよ」（図版下《ずはんした》）

　真実《しんじつ》は、説明《せつめい》を続《つづ》ける。

「隠《かく》し扉《とびら》にとりつけられていた偏光板《へんこうばん》①は、扉《とびら》が閉《し》まったときに外《はず》れて、隠《かく》し部屋《べや》の中《なか》に残《のこ》るしくみになっていた。だからぼくたちが壁《かべ》を調《しら》べたときには、絵《え》は見《み》つけられなかったんだよ」

「おそらく健太《けんた》くんを捕《と》らえた人物《じんぶつ》は、ここに隠《かく》し扉《とびら》があることを知《し》り、自分《じぶん》は黒《くろ》ずくめに扮装《ふんそう》して扉《とびら》の中《なか》に隠《かく》れていた。そして健太《けんた》くんにだけ幽霊《ゆうれい》を見《み》せ、

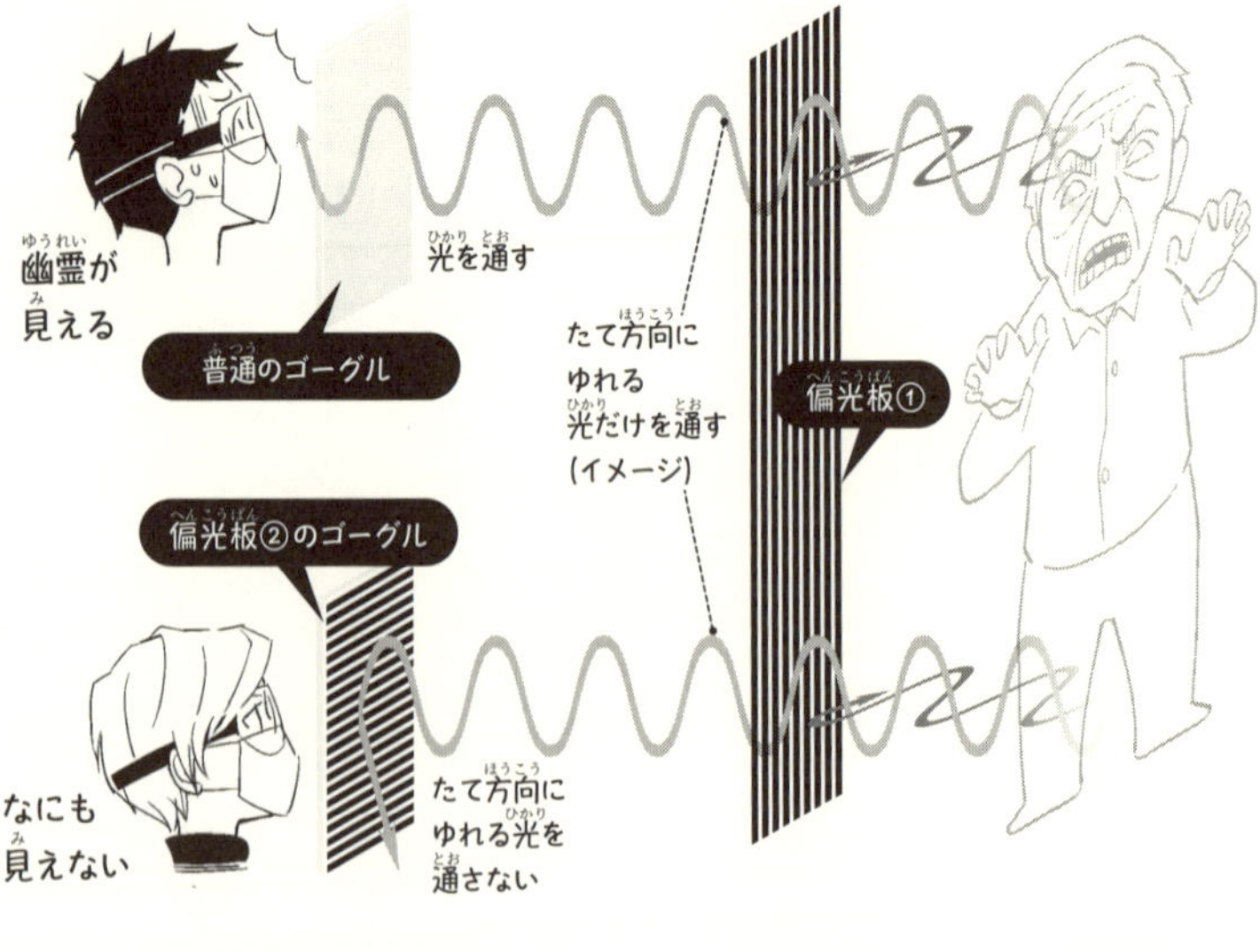

幽霊《ゆうれい》が見《み》える
光《ひかり》を通《とお》す
普通《ふつう》のゴーグル
たて方向《ほうこう》にゆれる光《ひかり》だけを通《とお》す（イメージ）
偏光板《へんこうばん》①
偏光板《へんこうばん》②のゴーグル
なにも見《み》えない
たて方向《ほうこう》にゆれる光《ひかり》を通《とお》さない

手《て》を伸《の》ばして、穴《あな》の中《なか》に引《ひ》き込《こ》んだんだよ」

「それで、ぼくは幽霊《ゆうれい》に引《ひ》き込《こ》まれたと思《おも》っちゃったわけだね」

健太《けんた》はくやしがる。

「2階《かい》や1階《かい》で見《み》かけたおじいさんは、その人《ひと》が変装《へんそう》して、この家《いえ》に幽霊《ゆうれい》がいると思《おも》わせるものだったんだ。さらに、騒動《そうどう》を大《おお》きくするために、壁《かべ》の中《なか》に地神《ちがみ》さんや健太《けんた》くんを引《ひ》き込《こ》んだんだよ」

「だけど誰《だれ》がそんなことを？」

「この家《いえ》に頻繁《ひんぱん》に入《はい》ることができ、ゴーグルを用意《ようい》した人物《じんぶつ》。さらに、健太《けんた》くんが連《つ》れ去《さ》られるとき、この場《ば》にいなかった人間《にんげん》だよ」

真実《しんじつ》は、部屋《へや》の隅《すみ》で黙《だま》って話《はなし》を聞《き》いていた人物《じんぶつ》のほうを見《み》た。

「それは、桜田《さくらだ》さん、あなたです！」

「え？　桜田《さくらだ》さんが⁇」

「桜田《さくらだ》さん、あなたはほかの騒動《そうどう》の犯人《はんにん》でもありますよね？　図書館《としょかん》で怪現象《かいげんしょう》が起《お》きたとき、途中《とちゅう》でいなくなりました。人形塚団地《にんぎょうづかだんち》のときも、あなただけがエレベーターを操作《そうさ》することができたんです」

「そ、それは……」

桜田《さくらだ》は真実《しんじつ》に迫《せま》られ、うろたえる。そんな桜田《さくらだ》を見《み》て、健太《けんた》は戸惑《とまど》う。

「だけど、どうして桜田《さくらだ》さんがそんなことを？」

「それは安東《あんどう》さんの建物《たてもの》だったからだよ」

真実《しんじつ》は、桜田《さくらだ》をじっと見《み》つめた。

「桜田《さくらだ》さん、あなたは、安東《あんどう》さんのお孫《まご》さんですね？」

「えええ??」

「図書館《としょかん》で安東《あんどう》さんの資料《しりょう》を見《み》たとき、一人娘《ひとりむすめ》の家族《かぞく》の写真《しゃしん》が載《の》っていた。そこには小《ちい》さな男《おとこ》の子《こ》がいた。その子《こ》の目《め》の下《した》にホクロがあったんです」

「ホクロ。あっ、桜田《さくらだ》さんにもあるわね」

「だけど真実《しんじつ》くん、ぼく、ますますわからないよ。どうしておじいさんが設計《せっけい》した建物《たてもの》で騒動《そうどう》を起《お》こすの？」

するど、桜田《さくらだ》がゆっくりと口《くち》を開《ひら》いた。


「あんな人《ひと》がつくった建物《たてもの》は……、全部《ぜんぶ》なくなればいいんすよ」


桜田《さくらだ》は、苦々《にがにが》しい表情《ひょうじょう》を浮《う》かべながら、その理由《りゆう》を話《はな》した。

「あの人《ひと》は、『心《こころ》が温《あたた》かくなれる場所《ばしょ》』というテーマで、家《いえ》や施設《しせつ》をつくっていたっす。本《ほん》人《にん》も家族《かぞく》をとても大事《だいじ》にしていると言《い》ってたけど、実際《じっさい》は、全然家庭《ぜんぜんかてい》を顧《かえり》みない人間《にんげん》だったんす」

「え、そうだったの？」

「まだ小《ちい》さかったころ、オレの誕生日《たんじょうび》をこの家《いえ》で祝《いわ》うことになったんす。だけど、あの人《ひと》は仕事《しごと》があるからって出《で》ていって」

桜田《さくらだ》は拳《こぶし》を強《つよ》く握《にぎ》りしめると、家《いえ》を見《み》た。

「だから、こんな家《いえ》、取《と》り壊《こわ》されればいいんすよ。あの人《ひと》は、家族《かぞく》をまったく愛《あい》していなかったんすから！」

桜田《さくらだ》は、家族《かぞく》につらい思《おも》いばかりさせていた安東《あんどう》を憎《にく》く思《おも》っていた。

「あの人《ひと》のつくった建物《たてもの》をどうにかしてこの世《よ》から消《け》せないかと思《おも》って、オレは管理《かんり》をしている地神不動産《ちがみふどうさん》で働《はたら》くことにしたっす。けど、なかなか方法《ほうほう》が見《み》つからなくて。だけどある日《ひ》、あの女優《じょゆう》の屋敷《やしき》で騒動《そうどう》が起《お》きたんす」

それは、やけど騒動《そうどう》だ。原因《げんいん》は植物《しょくぶつ》のせいだったが、桜田《さくらだ》はうまく利用《りよう》できると考《かんが》えた。

「あの人《ひと》がつくった建物《たてもの》で怪奇現象《かいきげんしょう》を起《お》こせば、評判《ひょうばん》が落《お》ちて、すべて取《と》り壊《こわ》すことができると思《おも》ったんす」

そのため次々《つぎつぎ》と、さまざまな騒動《そうどう》を起《お》こしたのだという。

「この家《いえ》も、謎野《なぞの》くんがトリックを見破《みやぶ》れなければ、本物《ほんもの》の幽霊《ゆうれい》が出《で》るということになって、確実《かくじつ》に取《と》り壊《こわ》せると思《おも》ったんす。最初《さいしょ》に地神社長《ちがみしゃちょう》を引《ひ》き込《こ》んだんすが、宮下《みやした》くんに幽霊《ゆうれい》を見《み》せてから引《ひ》き込《こ》むことができれば、うわさはもっと確実《かくじつ》なものになると思《おも》ったっす。謎《なぞ》野《の》くんや青井《あおい》さんなら幽霊《ゆうれい》が絵《え》だって見抜《みぬ》いてしまうかもしれないけど、宮下《みやした》くんなら幽霊《ゆうれい》だと信《しん》じてくれるでしょうから、宮下《みやした》くん以外《いがい》には幽霊《ゆうれい》が見《み》えないように偏光板《へんこうばん》のトリックを考《かんが》えたんすよ」

「なんか、思《おも》い通《どお》りに動《うご》かされていたみたいで、恥《は》ずかしいな〜」

健太《けんた》はむくれる。

「何《なに》もかも、全部《ぜんぶ》あの人《ひと》が悪《わる》いんすよ」

桜田《さくらだ》は顔《かお》をゆがめてそう言《い》う。

そんな桜田《さくらだ》に、健太《けんた》と美希《みき》は何《なに》も言《い》えなくなってしまう。

だが、真実《しんじつ》が一歩前《いっぽまえ》に出《で》た。

「あなたのおじいさんは、ほんとうに家族《かぞく》を愛《あい》していなかったのでしょうか？」

「え……、どういうことっすか？」

「安東《あんどう》さんが特集《とくしゅう》されていた雑誌《ざっし》の記事《きじ》に、家族《かぞく》について書《か》かれたものがありました。その中《なか》で、自分《じぶん》の家《いえ》について語《かた》っている部分《ぶぶん》があったんです」

真実《しんじつ》は、その内容《ないよう》を桜田《さくらだ》に伝《つた》えた。

「私《わたし》は、最近家《さいきんいえ》を改築《かいちく》しました。かなり理想《りそう》の家《いえ》に近《ちか》づきましたよ。私《わたし》の理想《りそう》の家《いえ》とは、孫《まご》が笑顔《えがお》になり、その笑顔《えがお》を見《み》て、娘夫婦《むすめふうふ》と自分《じぶん》も笑顔《えがお》になれる家《いえ》なのです。私《わたし》は、その笑顔《えがお》が見《み》たくて、孫《まご》の夢《ゆめ》をすべてかなえた部屋《へや》を地下《ちか》につくったのです」

「地下《ちか》に……？」

桜田《さくらだ》は、ハッとした。

地下《ちか》にあった、オモチャだらけの部屋《へや》や、すべり台《だい》やブランコがある部屋《へや》、壁《かべ》にジャングルや動物《どうぶつ》が描《えが》かれた部屋《へや》、そして夜空《よぞら》を眺《なが》めることができる部屋《へや》……。

それらはすべて、桜田《さくらだ》が子《こ》どものとき大好《だいす》きだったものなのだ。

「そういえば、隠《かく》し通路《つうろ》がある家《いえ》に住《す》みたいって言《い》ったこともあったかも……」

誕生日《たんじょうび》のとき、安東《あんどう》は「この家《いえ》にいれば、退屈《たいくつ》はしないはずだ」と言《い》っていた。

地下《ちか》の部屋《へや》を見《み》れば、きっと桜田《さくらだ》が喜《よろこ》ぶと思《おも》っていたのだ。

「安東《あんどう》さんの設計《せっけい》した建物《たてもの》には、いつも同《おな》じ紋章《もんしょう》がありました。『アンモナイト』をかたどったものです。アンモナイトにはある逸話《いつわ》があります」

その昔《むかし》、人々《ひとびと》がイギリスのある村《むら》に、修道院《しゅうどういん》を建《た》てようとした。しかしそこは毒蛇《どくへび》だらけで建物《たてもの》を建《た》てることができなかった。

すると、ある修道女《しゅうどうじょ》が呪文《じゅもん》を唱《とな》え、毒蛇《どくへび》をアンモナイトのような石《いし》に変《か》えた。そして無《ぶ》事《じ》、修道院《しゅうどういん》を建《た》てることができたのだ。

「おそらく安東《あんどう》さんは、家《いえ》や建物《たてもの》を、家族《かぞく》やそこを使《つか》う人《ひと》たちを守《まも》る安全《あんぜん》で安心《あんしん》できる場所《ばしょ》にしたいという思《おも》いから、紋章《もんしょう》をつけていたんでしょうね」

それは、安東《あんどう》がテーマにしていた「心《こころ》が温《あたた》かくなれる場所《ばしょ》」である。

それを聞《き》き、健太《けんた》が桜田《さくらだ》のほうを見《み》た。

「もしかしたら、桜田《さくらだ》さんのおじいさんは、どうすれば家族《かぞく》を愛《あい》せるのか、そのことをずっと考《かんが》えていたのかも。それが、うまく伝《つた》わらなかっただけなんじゃ……」

「家族《かぞく》を、愛《あい》する……。じいちゃん、どんだけ不器用《ぶきよう》な人間《にんげん》なんだよ……」

桜田《さくらだ》は、安東《あんどう》の遠回《とおまわ》りな気持《きも》ちにあきれる。

そんな桜田《さくらだ》を見《み》て、健太《けんた》は笑顔《えがお》を見《み》せた。

「安東《あんどう》さんの思《おも》いは、桜田《さくらだ》さんにちゃんと伝《つた》わっていたと思《おも》いますよ。だって、桜田《さくらだ》さんは建築《けんちく》に興味《きょうみ》があるって言《い》ってましたよね。きっと、安東《あんどう》さんの気持《きも》ちを、自分《じぶん》でも知《し》らないうちに理解《りかい》していたんですよ」

「オレが、じいちゃんの気持《きも》ちを……」

健太《けんた》の言葉《ことば》に、桜田《さくらだ》は戸惑《とまど》いながらも、やがて笑《わら》った。

「そうっすね。たしかにオレ、建物《たても》のが好《す》きっすもん。気持《きも》ちが伝《つた》わってたのかも」

その言葉《ことば》に、３人《にん》は笑顔《えがお》でうなずくのだった。

修道院《しゅうどういん》
キリスト教《きょう》の修行《しゅぎょう》をする人《ひと》が共同生活《きょうどうせいかつ》をする場所《ばしょ》。

4

SCIENCE TRICK DATA FILE

科学《かがく》トリックデータファイル

変《へん》な形《かたち》の
アンモナイトも
いるんだね！

アンモナイトのひみついろいろ

アンモナイトは約《やく》4億年前《おくねんまえ》に出現《しゅつげん》し、世界中《せかいじゅう》の海《うみ》で栄《さか》えた軟《なん》体動物《たいどうぶつ》です。

現在《げんざい》も見《み》ることができるオウムガイに似《に》ていますが、歯《は》の数《かず》などから、オウムガイよりもタコやイカに近《ちか》い動物《どうぶつ》であることがわかっています。

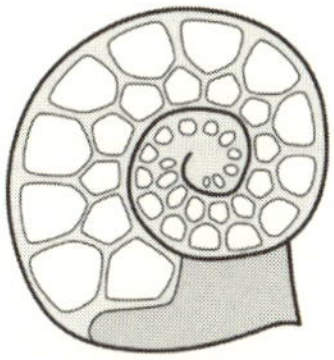

アンモナイトの殻《から》の断面《だんめん》

殻《から》の中《なか》は細《こま》かく区切《くぎ》られていて、ガスを入《い》れて浮輪《うきわ》のように使《つか》っていたと考《かんが》えられている。

「異常巻《いじょうま》き」といわれる変《か》わった形《かたち》のアンモナイトも多《た》数発見《すうはっけん》されている。日本《にほん》では、北海道《ほっかいどう》で異常巻《いじょうま》きのアンモナイトがたくさん見《み》つかっている。

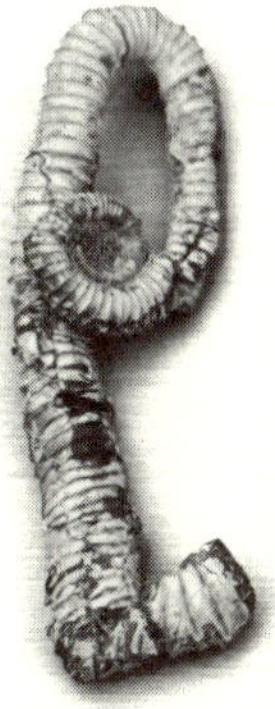

カタツムリの殻《から》の断面《だんめん》

アンモナイトと同《おな》じ軟体動物《なんたいどうぶつ》で見《み》た目《め》も似《に》ているが、殻《から》の中《なか》は入《い》り口《ぐち》から奥《おく》までつながった一《ひと》つの空間《くうかん》になっている。

「建物《たてもの》、取《と》り壊《こわ》されずにすんで、ほんとよかったねぇ」

1週間後《しゅうかんご》。健太《けんた》は真実《しんじつ》と美希《みき》とともに、学校《がっこう》から帰《かえ》る途中《とちゅう》でそう言《い》った。

無事《ぶじ》、騒動《そうどう》も収《おさ》まり、安東《あんどう》の手《て》がけた建物《たてもの》にも続々《ぞくぞく》と入居希望者《にゅうきょきぼうしゃ》が現《あらわ》れているらしい。

「安東《あんどう》さんの家《いえ》も、入居者《にゅうきょしゃ》が決《き》まりそうなんだって」

そこでは祖父《そふ》と娘夫婦《むすめふうふ》、そしてその息子《むすこ》が一緒《いっしょ》に暮《く》らすのだという。

「安東《あんどう》さんが望《のぞ》んだ家《いえ》になったようだね」

真実《しんじつ》がそう言《い》う。


「こんにちはっす！」


突然《とつぜん》、元気《げんき》のよい声《こえ》が響《ひび》いた。

「桜田《さくらだ》さん！」

「元気《げんき》にしてるっすか？」

「それはこっちのセリフですよ～」

健太《けんた》はふと、桜田《さくらだ》の後《うし》ろに地神《ちがみ》がいることに気《き》づいた。

「地神《ちがみ》さん、元気《げんき》になったんですね」

「あ〜、いろいろあったけど、もう大丈夫《だいじょうぶ》。今《いま》から桜田《さくらだ》くんと一緒《いっしょ》に、家《いえ》を見《み》たいっていうお客様《きゃくさま》のもとに行《い》こうと思《おも》ってね」

「ええ？」

桜田《さくらだ》は、苦笑《にがわら》いを浮《う》かべながら、地神《ちがみ》を見《み》る。

「地神《ちがみ》さん、オレが騒動《そうどう》の犯人《はんにん》だとわかっても、雇《やと》ってくれるって言《い》ってくれたんす」

「聞《き》いたときは驚《おどろ》いたけど、アタシも父親《ちちおや》とあんまりうまくいってなかったからねぇ。気持《きも》ちはよぉくわかるさ」

「そうなんだぁ」

「それにしても、桜田《さくらだ》くんが安東先生《あんどうせんせい》のお孫《まご》さんとはね。彼《かれ》に負《ま》けないぐらい立派《りっぱ》な建築家《けんちくか》になるまで、ウチでばりばり働《はたら》いてもらうよ」

「もちろんっす！」

桜田《さくらだ》は、真実《しんじつ》たちのほうに顔《かお》を向《む》けた。

「いろいろ迷惑《めいわく》かけて、ほんとに申《もう》し訳《わけ》なかったっす。これからは建築《けんちく》のことも本格的《ほんかくてき》に勉《べん》

強《きょう》して、じいちゃんみたいな建築家《けんちくか》になれるように、いっぱい頑張《がんば》るっす！」

「いいわね、私《わたし》、応援《おうえん》するわ」

「ぼくも！　大《おお》きくなったら桜田《さくらだ》さんが設計《せっけい》した家《いえ》を買《か》うよ！」

「ほんとっすか！　よおし、気合入《きあいはい》ってきたっす！」

明《あか》るく元気《げんき》な桜田《さくらだ》を見《み》て、みな楽《たの》しげに笑《わら》うのだった。

See you in the next mystery!

その後《ご》の科学探偵《かがくたんてい》「それ行《い》け！花森《はなもり》にじいろ図書館《としょかん》」

著者紹介

佐東みどり

脚本家・作家。アニメ「サザエさん」「ハローキティとあそぼう！まなぼう！」などを担当。小説に「恐怖コレクター」シリーズ、「謎新聞ミライタイムズ」シリーズなどがある。
（執筆：プロローグ、4章、エピローグ）

石川北二

監督・脚本家。脚本家として、映画「かずら」（共同脚本）、映画「燐寸少女 マッチショウジョ」などを担当。監督としての代表作に、映画「ラブ★コン」などがある。
（執筆：2章）

木滝りま

脚本家・作家。脚本家として、ドラマ「念力家族」「ほんとにあった怖い話」、アニメ「スイートプリキュア♪」など。代表作に、『世にも奇妙な物語 ドラマノベライズ 恐怖のはじまり編』がある。
（執筆：3章）

田中智章

監督・脚本家・作家。脚本家として、アニメ「ドラえもん」、映画「シャニダールの花」などを担当。監督としての代表作に、映画「花になる」などがある。「全員ウソつき」シリーズ執筆《しっぴつ》。
（執筆：1章）

挿画　**kotona**

イラストレーター。児童書や書籍の挿絵のほか、キャラクターデザインなどで活躍中。
HP：marble-d.com
（マーブルデザインラボ）

装幀　**辻中浩一**

本文フォーマット
レイアウト　**ウフ**

監修　金子丈夫（筑波大学附属中学校元副校長）
編集デスク　福井洋平
校閲　宅美公美子、野口高峰（朝日新聞総合サービス）

本文図版　渡辺みやこ
コラム図版　笠原ひろひと
写真　朝日新聞社、iStock、PIXTA
キャラクター原案　木々
装幀　辻中浩一
本文フォーマット／レイアウト　ウフ

おもな参考文献、ウェブサイト
『新編　新しい理科』3～6（東京書籍）／『週刊かがくる　改訂版』1～50号（朝日新聞出版）／『週刊かがくるプラス　改訂版』1～50号（朝日新聞出版）／『ナショナル　ジオグラフィック』（日経ナショナル ジオグラフィック）／『たのしい科学あそび　砂糖と塩の実験』（さ・え・ら書房）／厚生労働省ウェブサイト／学研キッズネット／精糖工業会ウェブサイト／東北大学総合学術博物館ウェブサイト

科学探偵《かがくたんてい》 謎野真実《なぞのしんじつ》シリーズ

科学探偵《かがくたんてい》 vs.《ブイエス》 恐怖《きょうふ》の館《やかた》

2023年 6月30日　第1刷発行

著　者　作：佐東みどり　石川北二　木滝りま　田中智章　　絵：kotona
発行者　片桐圭子
発行所　朝日新聞出版
〒104-8011
東京都中央区築地5-3-2
編集　生活・文化編集部
電話　03-5541-8833（編集）
　　　03-5540-7793（販売）

印刷所・製本所　大日本印刷株式会社
ISBN978-4-02-332246-2
定価はカバーに表示してあります